タイム・ラッシュ

――天命探偵　真田省吾――

人は、運命を避けようとしてとった道で、しばしば運命に出会う。

——ラ・フォンテーヌ

第一章　Initial Dream

一寸先も見えない漆黒の闇《やみ》――。

その中に、蠢《うごめ》く二つの影があった。

黒い服に身を包み、顔をニット地の覆面《ふくめん》で隠している。

ただ、目だけがギラギラと輝きを放っていた。

覆面の二人組は身を屈《かが》め、慎重に、だが素早い動きで移動し、一軒の家の前で足を止める。

白い壁の二階建ての家だった。

小さな庭に、ラベンダーが咲いていた。

一人が玄関のドアの前に座り込み、ピッキングツールをドアの鍵穴《かぎあな》に差し込み、器用にそれを動かす。

二十秒ほどで作業は終わり、男は満足気に立ち上がり、ドアノブをゆっくりと回した。

音もなく、ドアが開いた――。

互いに頷《うなず》き合った二人組は、グリップに星のマークが入った拳銃《けんじゅう》を抜き、その先端に筒のようなものを取り付け、ドアをくぐって家の中に入って行った。

〈この人たちは、悪い人だ――〉

玄関から、真《ま》っ直《す》ぐに延びた廊下の先にあるドアの前で、二人組は足を止める。

一人の男がドアを指差し、何かの合図をした。

次の瞬間、もう一人がドアを蹴《け》り開ける。

オレンジ色の薄明かりの中、ベッドに寝ていた男が飛び起きた。

ヒュッ。

風を切るような音とともに、男が胸を押さえてベッドから転がり落ちた。

男の白いTシャツが、真っ赤に染まる。

隣に寝ていた女が、悲鳴を上げようと口を開いたが、それはすぐに黒い手袋によって覆《おお》われた。

大きく目を見開く女の額に銃口が当てられる。

床に倒れた男は、胸からボタボタと血を流しながらも、必死に立ち上がろうとする。

「……た、頼む……やめてくれ……」

搾《しぼ》り出すように男が言った。

しかし、覆面の男は、それを嘲《あざけ》るように、目元に冷たい笑みを浮かべると、ゲームの射撃をするような容易《たやす》さで引き金を引いた。

女の顔が、真っ赤な血を壁に撒《ま》き散らしながら、大きく後方に仰《の》け反《ぞ》った。

男は、絨毯《じゅうたん》に爪《つめ》を立て、身体《からだ》を震わせながら涙を流した。

しかし、覆面の男たちは容赦《ようしゃ》しなかった。

男の後頭部に銃口を突きつけ、間を置かずに引き金を引く。

血を噴出させながら、前のめりに倒れた男は、それきり動かなくなった――。

〈なに？　これはいったいなに？　あたしも殺されちゃうの？〉

男たちは、すぐに次の作業に取り掛かる。

クローゼットの中、ベッドの下、そして天井裏に至るまで入念に捜索を始める。

しばらくの間、ひたすら作業に没頭《ぼっとう》していた男たちだが、不意に手を止めてドアの先に続く廊下に目を向けた。

そこには、じっと男たちを見ている人影があった。

中学生くらいの少年だ。右手に、金属バットを握り締めている。

肩で大きく呼吸しながらも、膝《ひざ》が恐怖で震えているのが分かった。

少年は、唇をきつく嚙《か》み、何かを決意したように、真っ直ぐで、強い意志のこもった視線を男たちに向けた。

〈なにをするの？〉

少年は、金属バットを大きく振り上げると、口を大きく開け、何かを叫びながら男たちに向かって突進する。

〈ダメ！　逃げて！〉

その願望の声は届かない。

男のうち一人が、素早く銃を構え、躊躇《ちゅうちょ》なく引き金を引いた。

発射された弾丸は、少年の頭を捕らえた。

少年は、額が破裂し、足を滑らせたように後方に仰け反りながら倒れた。

板張りの床に、真っ赤な血が広がっていく――。

〈誰か！　誰か助けて！〉

※　※　※

「ママ！」

中西志乃《なかにししの》は、叫び声をあげながら病院のベッドで目を覚ました。

しかし、そこに求めた母の姿はなく、代わりに、普段家にさえ寄り付かない父、克明《かつあき》の姿があった。

眉間《みけん》に深い皺《しわ》を刻み、冷ややかな目で志乃を見ている。

「あたし怖い夢を見たの。人が死ぬの。てっぽうで撃たれてるの。それでね……」

志乃は、自分の見たものを伝えようとしただけなのに、克明は、表情を硬くして充血した目を見開いた。

「そんな話は、どうでもいい」

冷えきった口調だった。

「よくないわ。だって、人が死んじゃったのよ。あたしね、その人たちの顔もはっきり覚えているの」

「やめなさい！」

克明は、志乃の小さな肩を鷲掴《わしづか》みにした。

志乃は、じわっと目頭が熱くなったが、涙を流さぬよう、鼻をすってこらえる。

十二歳の少女には、あまりに衝撃的な夢。

誰かに話すことで、それを夢だと再認識したかっただけなのに——。

パパは、いつだってこうだ。あたしの話なんて聞いてくれない。なんでこんな人が
パパなの？　真紀ちゃんのパパはもっと優しいのに。

「もういい。ママに話す。ねえ、ママは？」

「いない」

克明がきっぱりと言う。

「どこ？　ママはどこにいるの？」

「分からないのか？　ママはもういないんだ」

どうしてそんな嘘《うそ》をつくの？　ママはいる。

「ママを呼んできて！」

志乃は、克明の手を振り払い、お腹《なか》の底に溜《た》めた感情を一気に爆発させた。

「ママは、亡《な》くなったんだ」

克明が、大きな手で志乃の背中を撫《な》でた。

それをさかいに、志乃はがまんしていた涙を落としてしまった。

一度流れだした涙は、とどまることを知らず、次から次へとあふれ出て、紅潮《こうちょう》した志乃の頬《ほほ》を濡《ぬ》らした。

「死んでない！　ママが死ぬわけない！」

志乃は、克明を睨《にら》みかえす。

「覚えてないのか？」

「え？」

「お前は、今日ママと一緒に買い物に行った」

克明の言葉で、志乃の記憶の断片が蘇《よみがえ》ってきた。

今朝、ママと一緒に車に乗って家を出た。来週のピアノの演奏会で着るドレスを買いに行くためだ。

あたしは、ピンクがいいってはしゃいでいた。

「その途中で、ママとお前が乗った車は、事故を起こしたんだ」

冷静に語る克明の声が、志乃の耳の奥で反響する。

幾つかの映像が、映画のフラッシュバックのように、次々と頭の中を駆け抜けていく。

信号が、赤から青に変わる。
突然、目の前に迫ってくる大型トラック。
粉々に砕け散る車のガラス。
救急車の点滅する赤い光。
ぴた。ぴた。ぴた。
赤い水滴が指の先から落ちている。
白くて、長くて、細い指。
あれはママの指——。
志乃は、胸を押さえた。苦しい。息が吐けない。
嫌だ。その先は思い出したくない。
「ママは、その事故で死んだ」
受け入れることを拒絶して、志乃は両耳をふさいだ。
とくん——。
心臓が大きく脈打ち、脳が揺れた。
思い出したくない記憶が、映像となって映し出される。
ハンドルに身体を預け、頭から血を流し、ぐったりとしているママの姿。大きく見開かれた両目に、いつもの優しさはなかった。

焦点の定まらない虚《うつ》ろな目。

そこに、生は感じられなかった。

「嘘よ！　そんなの嘘！」

志乃は、叫び声をあげてベッドから飛び降りようとしたが、足が動かなかった。

まるで、膝から下がなくなってしまったみたいに感覚がない。

「いやよ！　何なの！　こんなのいやよ！　ママ！」

志乃は、頭を抱えて力の限り叫んだ。

そうすれば、今までの、平穏な世界が取り戻せる。そう思った。

しかし、一度転がってしまった運命が、元に戻ることはなかった──。

翌日のテレビニュースで、志乃は夢に見たのと同じ家が映し出されているのを目にした。

パトカーの赤いランプが明滅する中、リポーターは、マイクを握り締め、興奮気味に同じ内容を喋《しゃべ》り続けていた。

──たった今、入った情報によりますと、被害者は警視庁防犯部警部補皆川宗一《みながわそういち》さんと、その妻、長男の三人で、全員の死亡が確認されました。

第二章　Encounter

男が走っていた——。

胸の前でアタッシュケースを抱え、頬《ほほ》と顎《あご》に蓄《たくわ》えたぜい肉を揺らしながら、人の波をかき分け、疾走《しっそう》している。

額から流れ落ちる汗もそのままに、何度も背後を振り返った。

迫りくる何かから逃げている。

〈いったい、何から逃げているの?〉

十歳くらいの少女が、横断歩道の前で信号待ちをしていた。

デニムのスカートに、ピンクのシャツを着ている。

母親に手を引かれながら、道の反対側にいる誰かに向かって大きく手を振っていた。

茶色い壁の建物が見えた。

四十階を超える高層ビルで、一階のフロアがガラス張りのカフェのような造りになっている。近くに公園らしき場所があり、錆《さ》びついた時計台が立っていた。

ところどころ塗料が剝《は》がれ、元の色が何色なのかも分からない古い時計台。

時計の針は、ちょうど五時を指している。

黒塗りのベンツが、エンジンの唸《うな》りをあげながら猛スピードで走っていた。

さっきのアタッシュケースの男が走ってきて、少女にぶつかり転倒した。

アタッシュケースがアスファルトの上に転《ころが》る。

男が痛みに表情をゆがめながらも、立ち上がろうとする。

少女は、座り込んだまま泣いている。

そこに、ベンツが迫ってくる――。

〈お願い！　誰か！　助けて！〉

母親が、少女に駆け寄ろうとした刹那《せつな》、ベンツが横断歩道を走り抜けた。

腹に響くような衝撃音――。

その後には、手足が不自然に捻《ね》じ曲がった男が横たわっていた。口から血を流し、両目が大きく見開かれたままになっている。

そこから十メートルほど離れた場所に、さっきの少女が俯《うつぶ》せで倒れていた。足が、反対側に曲がっている。頭に大きな割れ目ができていて、そこから真っ赤な血が脈打ちながら流れ出していた。

「いやぁ！」

崩れ落ちながら絶叫する母親の声を、遠くに聞いた――。

一

奈落《ならく》の底に突き落とされたような浮遊感《ふゆうかん》の後、志乃は目を覚ました。耳鳴りがした。血液の脈動にあわせて、頭に鈍痛が走る。

夢を見た日は、いつもこうなる。

志乃は、ゆっくりと身体《からだ》を起こし、視線を上げた。

ドレッサーの大きな楕円《だえん》の鏡に、自分の顔が映し出されている。

肌は死人のように白く、唇はささくれ、目の下には隈《くま》ができている。十九歳という年齢が、嘘《うそ》のようだ。

志乃は、逃げるように鏡の中の自分から目を背け、壁掛け時計に視線を移した。午前七時——。

今日だとしても、あと十時間ある。

志乃は、下唇を噛《か》んでから、枕《まくら》もとに置かれた内線電話の受話器を手に取る。

〈お目覚めですか?〉

「……また、夢をみたの」

相手が電話に出るのを待って、志乃は短く告げた。

〈すぐにうかがいます〉

志乃が受話器を置くのと同時に、ノックの音がして、使用人の坂井《さかい》寛子《ひろこ》が部屋に入って来た。朝食の支度をしていたのだろう。エプロンを着けている。

四十代の小柄で、つぶらな瞳《ひとみ》が印象的な女性だ。

住み込みで家事は勿論《もちろん》、脚の不自由な志乃のヘルパーとしての働きもしてくれている。

彼女は、長谷川《はせがわ》功《いさお》の仲介でこの家で働くようになった。

寛子に手伝ってもらい、ベージュのチノパンと白のブラウスに着替えを済ませ、車《くる》椅子《ま いす》に乗り移った。


「ありがとう」

志乃の言葉に、寛子は深々とおじぎをして部屋を出て行く。

彼女は、口数こそ少ないが、信頼のおける人物だ。

志乃は、肩まで伸びた髪を、後ろでまとめ、ハンドリムを回して窓際《まどぎわ》に移動した。

壁紙と同じ、白いカーテンの隙間《すきま》から、秋の乾いた陽射《ひざ》しが差し込んでいる。

ドレッサーの上のコスモスが、薄紫色の花を咲かせていた。

志乃は、大きく息を吐き出した。

脚の感覚を失ってから七年。不自由な生活には慣れた。しかし、どれだけ時間が経過しても、慣れないものもある。

「……ママ」

志乃がつぶやくのと同時に、ドアをノックする音が聞こえた。

「失礼します」

部屋に入ってきたのは、父の秘書であり、やはり住み込みでこの家の一切を取り仕切っている長谷川だ。

白髪の、五十代後半の初老の男性で、起き抜けにもかかわらず、ジャケットを着て、ぴんと背筋を伸ばしたその立ち振る舞いには品位があり、存在感を放っている。

「今日は、どんな夢を見たのですか？」

長谷川は、志乃の前に跪《ひざまず》き、細い目を、さらに細めた。

「また、人が死ぬ夢……」

「そうですか」

「アタッシュケースを持った男と、十歳くらいの女の子が、車に撥《は》ねられるの」

志乃は、自ら口にした言葉に身震いして、目を伏せた。

「どうなさいますか？」

長谷川が声を低くする。

「黒のベンツだったわ。茶色い高層階の建物。一階はガラス張りのカフェのようになっているの」

「どこかのホテルでしょうか？」

「そうだと思う。ホテルの裏手の一方通行の道路。そこを車が逆走して……」

あれは、ただの事故ではない。アタッシュケースの男を殺害しようという明確な意思があった。

少女は、それに巻き込まれた。

「他に、何か情報はありませんか？」

「近くに公園があるわ。錆びついた時計台が立っているの」

「そこまで分かっていれば、場所の特定ができるかもしれませんね」

長谷川が口元を緩めた。

その期待は、志乃の中にもあった。今までは、情報が少なすぎて、場所を特定できずに終わってしまうことがほとんどだった。

だが、今回は見つけられるかもしれない。それに――。

「時計台の針が、五時ちょうどを指していた……」

「時間も特定できているのですね」

志乃は力強く頷《うなず》いた。

「変えられるかもしれませんね。今度こそ」

長谷川は、そう言いながらスケッチブックと鉛筆を志乃に差し出した。

志乃は膝《ひざ》の上でスケッチブックを広げ、夢に出て来た男の顔を鉛筆で描き始めた。

つい、鉛筆を持つ手に力が入る。

もしかしたら、今度こそ――。

志乃の胸にも淡《あわ》い期待が芽生えていた。

二

真田省吾《さなだしょうご》は、新宿住友ビル前の広場にいた。

陽が沈み、街にライトが点灯しはじめる中、黒いニット帽を目深《まぶか》に被《かぶ》り、スケートボードを操《あやつ》っている。

レンガ敷きのその広場は、ビルの中の会社に勤務する人間の憩《いこ》いの場所となっていて、意外に人通りも多い。そのうえ、レンガは凹凸《おうとつ》が激しく、安定しない。スケートボードをやるのに適した場所とは言えないが、真田にはここでなければならない理由があった。

デッキに右足をかけ、左足でプッシュしながら助走をつけ、デッキの上でスタンスをとり、膝を曲げて反動をつけテールを蹴《け》りながら一気にジャンプし、そのままスケートボードを横回転させ着地する。

キックフリップという技だ。バランスを崩すことなく着地に成功。首につけた狼《おおかみ》の白い牙《きば》のネックレスが、太陽にキラッと光る。

胸の前でガッツポーズをしたところで、歩道を歩くスーツ姿の中年男性とぶつかりそうになる。

「うお！」

真田は声を上げながらも、冷静に上体を右に捻《ひね》り、ターンしながら寸前のところで中年男性をかわした。

「ガキが！」

身体を仰《の》け反《ぞ》らせた中年男性が、舌打ちをしながら吐き捨てたが、聞こえないフリを決めこんだ。

残念ながら、相手をしているほど暇《ひま》じゃない。

スニーカーでボードのサイドを踏み、横回転させながらボードを腰の高さまで浮かせ、左手でキャッチする。

〈遊んでいる場合じゃないでしょ〉

ニット帽の下に隠した無線機から女の声が届いた。

「そう見えるんだとしたら、おれの演技が完璧《かんぺき》だってことだろ」

真田は軽い口調で答えながら、素早くビルのエントランスに視線を向ける。

グレイのスーツを着て、髪をアップにした二十代後半の長身の女が、携帯電話で話をしながら出て来るのが見えた。同僚の公香《きみか》だ。

赤いワイヤーフレームのメガネを直すふりをして、一瞬だけこちらに視線を向けた。

切れ長で、勝気な性格を、そのまま表現したような目だ。

〈そうね。軽率なあなたには、そういう格好がお似合いよ〉

公香は、皮肉まじりに言いながら近くのベンチに腰を下ろし、すらりと伸びた足を、組んだ。

スーツなんて着たくないと散々ごねていたクセに、すっかりなりきっている。

妙な色気を漂わせている。OLというより、社長の愛人兼秘書という感じだ。

「そっちこそ、転職した方がいいんじゃねえの」

〈いちいち言われなくても検討中《けんとうちゅう》よ〉

「後で山縣《やまがた》さんに報告しておく」

〈お節介な男は嫌われるわよ〉

「優しさのない女よりマシだよ」

公香が、これ以上つきあえないという風に肩をすくめて首を左右に振った。

〈ターゲットがもうすぐ出てくるわよ。見失わないでね〉

「まったく。女ってのは身勝手で嫌だね」

公香も黙っていれば、いい女なのに――。

真田は心の内で呟《つぶや》き、視線をビルの入り口に向けたまま、歩道の脇《わき》に停車しておいた黒いバイクに歩み寄った。

ホンダのカスタムスクーター、フォルツァだ。

スクーターを一回り大きくして、二百五十CCのエンジンを積んだ優れものだ。

このタイプのバイクは、スクーターと同じで、面倒なギアチェンジが必要ない。

バイク好きに言わせると邪道《じゃどう》な乗り物らしいが、この仕事には必要不可欠だ。

小回りが利《き》くし、燃費もいい。バイクに乗りながらの撮影が必要なときなどは、ミッションのバイクだと色々と不都合が多い。

かといって五十CCのスクーターだとスピードが遅いし、高速道路は走れない。シートを持ち上げ、フルフェイスヘルメットを取り出し、代わりにスケートボードをしまったところで、ビルの入り口から出て来る男の姿が見えた。

小太りで、脂《あぶら》ぎっていて、脚の短い典型的な東洋の中年男。

今回のターゲット、田中良彦《たなかよしひこ》、四十二歳。

胸の前でアタッシュケースを抱え、小動物のように首を左右に動かし、何かを警戒《けいかい》している。

「こんな時間から会社さぼって愛人と密会してるとは思えないけどね」

〈こんな時間だから、逆に目立たないのよ〉

公香から突っ込みが入る。

「そうじゃなくて、あいつを相手にする女がいるとは思えないけどね」

〈男は外見じゃないのよ〉

「男の趣味を否定する気はないけど、限度ってもんがあるだろ」

〈他人のこと言える？　あんただって歳《とし》とれば、ああなるのよ〉

「まさか。あいつとは遺伝子が違う」

真田は、笑い飛ばしながらヘルメットを被り、バイクにまたがった。

〈過剰な自信はいいけど、見失わないでよ〉

「任せとけ」

真田は、男を視界の隅に捉《とら》えつつ、バイクのエンジンをかけた。

〈出るわよ〉

無線からの公香の声に、真田は慌《あわ》てて顔を上げる。

田中が、タクシーに乗り込もうとしているところだった。

「お供させていただきます」

真田は、アクセルを噴かしタクシーを追ってバイクをスタートさせた。

三

「まだか……」

柴崎功治《しばざきこうじ》は、呟きながら火の点《つ》いていない煙草《たばこ》をくわえた。

その視線はモニターの画面をじっと見つめたままだ。

渋谷の国道二四六号線沿いに聳《そび》え立つ、茶色い壁の超高層複合ビルのなかにある高級ホテル。その裏手にある百円パーキングに停車した、グレイのワンボックス車の中に柴崎はいた。

後部座席と、荷台を改造して作られた移動式の指令室。

畳三畳ほどのスペースに、モニターと、盗聴用の通信機器などが、所狭しと並んでいる。

肌寒くなってきたこの季節にあって、それらの機器の持つ熱で、車内はさながらサウナのような熱気をはらんでいた。

柴崎の見つめるモニターには、一人の男が映し出されている。

ホテルのラウンジのソファーに、小柄な身体《からだ》を誇張《こちょう》するように、仰け反って座っているメガネの男。山城竜彦《やましろたつひこ》。

三白眼の吊《つ》り上がった目に、低い鼻先。ブランド物のスーツに、高価な時計とネックレス。

隣には、ボディーガードらしき巨漢がついている。

都内を中心に十数店舗を構える輸入家具店のオーナーという肩書きだが、それは表向きの顔に過ぎない。

奴が本当に流通させているのは、もっと別のもの。

禁止薬物。古くから日本に根深く流通している覚醒剤《かくせいざい》。シャブだ。

山城は、前からマークしていた。捕まえようと思えば、すぐにでもできる。だが、それでは意味がない。山城は、ただの売人に過ぎない。雑草は根元から抜かねば、また生えてくる。

どこからシャブを仕入れているのか？　それを解明する必要がある。

柴崎は息苦しさを覚え、ネクタイを緩め、無精ひげの生えた顎《あご》を撫《な》でた。

運転席に座っている男が、振り返りながら言う。

「少し、休まれては？」

「必要ない」

柴崎は、短く答えた後、ライターで煙草に火を点ける。

疲労がないと言ったら嘘《うそ》になる。しかし、今が休むべき時でないことは、充分に理解している。

しかも、捜査人員は自分を含めて四人と、必要最低限の人数しかいない。

本来、麻薬がらみとなれば、厚生労働省の麻薬Gメンの仕事だ。だが、彼らが扱うのは、あくまで個人の取締り。

今回のような組織ぐるみの犯行の場合、警視庁の組織犯罪対策部が事件を管轄《かんかつ》するのだ。

柴崎の所属は新宿署の組織犯罪対策課、組織犯罪の実態の把握と内偵が主な任務になる。

左手首に視線を落とす。時計の針は、四時三十分を指していた。

〈……ちょっと気になることがあります〉

いきなり、無線が飛び込んできた。

柴崎は、すぐに無線のレシーバーを取り上げた。

「何だ？」

声に緊張感がこもる。

〈二時間ほど前から、同じ場所に停車している車があります〉

「どこだ？」

モニターには交差点をおさえた映像はない。柴崎はシートをまたぎ、助手席に移動し、フロントガラスの向こうに視線を向けた。

〈そこからですと、右手交差点の前です〉

無線の声に従い、視線を動かしていく。

「車種は」

〈ブルーのＢＭＷです〉

いた！

この道は、ホテルの裏手にある一方通行の道だ。

裏道にあたる場所だから、通行人は多いが、一般の車はほとんど走っていない。

運転席に乗っているのは、身なりのいい初老の男だった。後部座席にも一人乗っているようだ。

ホテルの前だから、ＶＩＰを待っているということも考えられるが、二時間というのは長すぎる。

職質をかけることもできるが、ターゲットと関わりのある人物だった場合、こちらの動きが読まれる可能性がある。

選択肢は二つ。どうする――。

「接近して状況を確認できるか？」

柴崎は決断した。

四

志乃は、苛立《いらだ》ちを抱えたまま、BMWの後部座席にいた。

ダッシュボードに取り付けられたデジタル時計は、四時三十五分を表示していた。

夢で見た映像と、長谷川の調査と助言で、何とか渋谷にあるこのホテルを見つけ出すことができた。

道路を挟んだ向かいの公園には、錆《さ》びついた時計台が見える。

位置もここで間違っていないだろう。

このまま待ち続けるだけでは、いたずらに時間を浪費しているだけだ。

「私が外に出て、付近を探してみましょう」

ルームミラー越しに、運転席の長谷川が声をかけてきた。

志乃は悔しさから返答に詰まる。

長谷川の判断は間違っていない。このまま、二人揃《そろ》って車の中にいるより、外に出て探した方が効率的だ。だが――。

「この足が動けば……」

志乃の苛立ちは、そのまま言葉になった。

「動きますよ。心の問題だとお医者様も言っていらっしゃいました」

長谷川は、子を見る親のように目を細めた。

悪気はないのだろうが、慰《なぐさ》めの言葉をかけられると、余計に惨《みじ》めな気分になる。

「あたしも、外に出ます」

志乃は、沈み込む自分の気持ちを奮《ふる》い立たせるように、顔を上げた。

長谷川は、少し驚いた表情を見せたが、すぐにそれを笑顔に変え、黙って頷《うなず》きかえした。

もう、人が死ぬのは見たくない。

コンコン。

行動を起こそうとしたところで、運転席の窓ガラスが叩《たた》かれた。

三十代の男が、運転席側のドアの前に立っていた。

グレイのスーツの上からでも、アスリートのように引き締まった肉体をしているのが分かった。

長谷川が、運転席の窓を下ろした。

「すみません。ずっとここに車を停めているので、どうしたのかと思いまして」

男が申し訳なさそうに話を切り出す。

「いえ、ちょっと人を待っているものですから……」

長谷川が、人懐《ひとなつ》こい笑みを浮かべながら答える。

「この道、一方通行でしてね。できれば、場所を移動してもらいたいんですが」

男は、スーツの内ポケットから警察手帳を取り出し、提示した。

長谷川が、ルームミラー越しに、志乃に判断を仰ぐような視線を向けてくる。

「あたしが、ここで彼を待っています」

志乃は、少し身を乗り出し、提案した。

「分かりました」

長谷川は、思案するような表情を浮かべたが、すぐに同意した。

「刑事さん。少しだけ時間をもらえますか。お嬢様を降ろしますので」

「ええ構いませんよ」

長谷川は、運転席から降りると、車のトランクを開け、中から折り畳み式の車椅子《くるまいす》を取り出し、それを組み立ててから後部座席のドアを開けた。

志乃は、長谷川の手を借り、車椅子に乗り移る。

「車を置いて、私もすぐに参ります」

長谷川はそう言い残すと、運転席に収まり、車をスタートさせた。

「一人で大丈夫ですか？」

「ええ。平気です」

志乃は、刑事の問いかけに笑顔で応《こた》えた。

刑事は、少し迷っているような表情を見せたが、無線から何かの指示を受けたようで、レシーバーを持ちながら小走りで走り去って行った。

志乃は、吹きつける風の冷たさに、身体を硬くした——。

五

真田は軽快にバイクを飛ばしていた。

車を間に三台挟んで、ターゲットのタクシーを捕捉《ほそく》している。

都心でのタクシーの尾行ほど楽なものはない。

強引な割り込みはするが、無茶なスピードを出すことはないし、車が多いから、簡単に紛れることができる。バイクで追跡していれば、見失うことはまずない。

〈調子はどうだ？〉

無線を通して、二日酔いとしか思えない気だるい男の声が聞こえてきた。

真田の上司で、親代わりでもある山縣だ。

無線が届いたということは、もう近くに追いついてきているってことだ。

「順調そのもの」

返事をしながら、サイドミラーに視線を向ける。

四台後ろに、黒のミニバンが見えた。存在をアピールするようにハザードを二回明滅させる。

〈ターゲットがタクシーを降りたら公香と交替しよう〉

「了解。それと、バイクの調子が悪いんだ。後で見て欲しいんだけど」

〈それくらい自分でやれ〉

「冷たいね。保護者の発言とは思えない」

〈そういう教育方針なんだよ〉

「まったく気持ち悪いくらい親父《おやじ》に似てるよ」

〈なんだって？〉

「なんでもねえよ！」

真田は会話を打ち切ると、タクシーを追って交差点を左に曲がった。

タクシーは二四六号線に入り、そのまま五百メートルほど直進すると、茶色い壁の高層ホテルの玄関口で停車した。

「ターゲットの車は、ホテルに到着した」

速度をゆるめながら無線に呼びかける。

〈通り過ぎて、付近で待機してくれ。後は、公香が引き継ぐ〉

「了解」

真田は、タクシーから降りるターゲットを横目に、ホテルの前を通り過ぎ、次の交差点を左折したところでバイクを停めた。

〈ターゲット発見。追跡するわね〉

無線から公香の声が聞こえてきた。

身を乗り出してホテルのエントランスに視線を向けると、公香が中に入って行く後ろ姿が見えた。

さっきの秘書風のスーツ姿とは違い、クラブの女みたいに、身体《からだ》の線を強調する白いスーツを着て、髪を縦ロールにしている。

女は、ちょっとしたことで、まるで別の生き物になる。本当に恐ろしいよ。

真田はヘルメットを外し、シートの下の格納スペースから茶色のアーミージャケットを取り出し、ワイシャツの上からそれを着込んだ。

「しかし、あのおっさん、随分な場所で密会するな」

〈ここツインで五万はくだらないわよ〉

真田の軽口に、公香が賛同する。

「上場企業とはいえ、係長クラスだったら、月四十万弱だろ。自宅マンションのローンに二人の子ども。ちょっと無理があるんじゃねぇの」

〈何かやってる可能性あるわね〉

「同感」

〈つまらない詮索《せんさく》は止《や》めろ〉

真田と公香のやり取りに、山縣の突っ込みが入る。

〈ターゲットが、ラウンジに入ったわ〉

公香から、状況を伝えるメッセージが流れてきた。

しかし、真田は、バイクのエンジンを切らなかった。

さっき、山縣はつまらない詮索だと言ったが、やはりターゲットが密会する場所としては、道玄坂あたりの安いラブホテルじゃないと採算が合わない。

だから、もう一回動く。

風が吹いた。

真田は、正面から吹き付ける風から逃れるように、顔を逸《そ》らした。

その拍子に、車椅子の女性が視界に入った。五メートルほど先――。

尖《とが》った顎《あご》に、真《ま》っ直《す》ぐに伸びた鼻筋。唇は少し薄いが、かたちのいい目が、綺麗《きれい》に並んでいる。肌が磁器のように白い。

年齢は、二十歳《はたち》前だろうか。あどけなさは残るものの、彫刻のように均整のとれた美しい顔をしている。

風に煽《あお》られ、肩まで伸びた黒髪がゆれていた。

脚が悪いのに、たった一人こんな場所で――、

「なにをやっている」

思わず口に出してしまった。

〈どうした？〉

すぐさま山縣から返答があった。

無線のスイッチが入りっぱなしになっていることに、今さらながら気付いて慌《あわ》てる。

「いや、なんでもない。気にしないでくれ」

どうかしている。

心の中で呟《つぶや》きつつも、真田は再び彼女に目を奪われる。
彼女は、物思いに耽《ふけ》っているように、長い睫毛《まつげ》を伏せていた――。
哀《かな》しげな目だ。
やがて――。
引き寄せられるように、彼女もこちらに視線を向けた。
彼女は唇を開き、白い歯を覗《のぞ》かせ、何かを言ったような気がした。
あの女――。
初老の男が、彼女に歩み寄った。
感じからして、父親ではなさそうだ。愛人ってことはないだろうが何者だ？
〈ねえ。ちょっと様子がおかしいわよ〉
公香からの無線で思考が中断された。

六

「どうかされましたか？」
声をかけてきたのは長谷川だった。

志乃は、びくっと肩を震わせてから我に返る。

あたしはいったいどうしたというのだろう。

あのバイクにまたがった青年と視線がぶつかった瞬間、何かに絡《から》め取られたように、身体が動かなくなった。

切れ長の目から、真っ直ぐに向けられた視線。

日焼けした肌。顔の彫りが深く、はっきりとした顔立ちをしていた。

彼の顔を、どこかで見たことがあるような気がする——。

「大丈夫です」

多分、気のせいだ。志乃はかぶりを振った。

「そうですか」

「それより、見つけました」

長谷川は、一瞬だけ考える間を置いた後、さぐるような視線を向けてくる。

「例の男を……ですか……」

志乃は大きくうなずいた。

彼に間違いない。さっき、タクシーでホテルのエントランスに乗りつけた中年の男。

胸には、夢で見たのと同じアタッシュケースを抱えていた。

「急ぎましょう。今、ホテルの中にいるわ」

志乃は、長谷川を見上げ訴えた。

「承知しました。私が行きます。お嬢様はここで」

「いいえ。あたしも行きます」

子どもの我がままのように主張する志乃に、長谷川は大きく首を横に振った。

「いいえ。ここにいてください」

有無をも言わせぬ長谷川の口調が、志乃の胸に突き刺さる。

自分が行ったところで、何もできない。ただの足手まとい。それは分かっている。

だが、だとしたら、あたしはなぜ夢を見るのか——。

「事故が起こるのは五時でしたよね」

返事をしない志乃に対して、長谷川が腕時計に目を落としながら言った。

「ええ」

「あと二十分。私が、五時まで彼をホテルに足留めします」

長谷川は、そう言い残してホテルのエントランスに向かって歩いて行ってしまった。

「ねえ。お姉ちゃん。大丈夫？」

声に反応して視線を向けた志乃は、心臓が押し潰《つぶ》されるほどの驚きを覚えた。

目の前にいたのは、十歳くらいの少女。

クマのプリントの入ったデニムのスカートに、ピンクのシャツを着ていた。手には、紙袋をぶら下げている。

「な、なんでもない。大丈夫よ」

志乃は、慌てて取り繕うような笑みを浮かべた。

「ふーん」

少女は口をとがらせると、そのまま歩き去ろうとする。

あたしにも何かできるはず――。

志乃の心の奥底で、その衝動が湧《わ》き上がる。

「ねえ。名前はなんていうの？」

できるだけ優しい口調を心がけた。

少女は、顔をぱっと明るくして、志乃のところに舞い戻ると、持っていた紙袋を足元に置き、早口で話し始めた。

「わたしね、ミキっていうの」

「そう。ミキちゃんか」

「お姉ちゃんは？」

「あたしは志乃」

「シノ?」

「変かな?」

「ううん。かわいい」

「ありがとう」

「ねえ。足、悪いの?」

「うん」

「じゃあ、これあげるね」

ミキはそう言ってポケットの中からお守りを取り出し、志乃に差し出した。

「大事なものじゃないの?」

「わたしも、足ケガしたの。そしたら、おばあちゃんがこれくれたの。わたしはもう治ったから、お姉ちゃんにあげる」

「そんな大事なもの、受け取れないわ」

志乃が首を振る。

「ミキ!　早くしなさい!」

横断歩道の向こうで、母親が大きく伸びをしながら声を上げていた。

「はーい」

ミキは元気よく返事をすると、志乃の膝《ひざ》の上にお守りを置き、母親の下《もと》に走っていく。

脳裏に、夢の映像が浮かぶ。

「危ない！」

志乃は、叫びながらミキの手を摑《つか》もうとした。

だが、届かなかった。

志乃は、思わず目を閉じる。

「お姉ちゃん！」

再び聞こえてきたミキの声に、志乃は目を開ける。

道路の反対側にミキがいた。母親に手を引かれながら、大きく手を振っている。

「バイバイ！」

「バイバイ」

志乃も、ミキに向かって手を振り返した。

ミキの姿が人ごみの中に消えていった。

志乃は、腕時計を見た。四時四十五分──。

夢の中で、ミキは、横断歩道を渡ろうとしているところを、車に撥《は》ねられた。

だけど、彼女はもうこの場所にいない。

何が原因かは分からないが、予見した運命が少しずつ変わり始めているのかもしれない。

志乃は、膝の上に置かれたお守りを握り締めながら、ぬるま湯のような安堵《あんど》に浸っていた。

足元にミキが置き忘れた紙袋があることには気付かずに——。

七

〈様子がおかしいってどういうことだ？〉

ホテルのラウンジのソファーに座っている公香の耳に、無線を通して真田の声が聞こえてきた。

「ターゲットが会っているのは男なのよ」

〈そういう趣味なんじゃねえの〉

相変わらずの真田の軽口が返ってくる。

公香は、改めてターゲットの男に視線を向けた。

十メートルはあろうかという、吹き抜けのラウンジに、氷柱《つらら》のようなシャンデリアがぶら下がっている。

床は、黒い大理石を使用していて、落ち着いた雰囲気の中にも、高級感が漂っていた。

公香のいる位置から、五メートルほど前方。花壇の向こう側の一番奥まったところにあるソファーにいた。

彼の目の前には、二人の男が座っている。

プロレスラーのような体格の男と、背が低く、メガネをかけた男。

二人ともビジネスマン風にスーツを着てはいるが、かもしだす雰囲気が堅気《かたぎ》のものとは明らかに違っていた。

「あなたの言う通りだとしたら、ホモで複数プレイってことになるわね」

〈そりゃいい〉

真田は、鼻で笑いながら答える。

〈公香はどう思う？〉

山縣がいつもの冷静な口調で割り込んできた。

「何かの取引っぽいわね」

〈あのおっさんが不倫してるっていうのより現実的だな〉

真田が茶化す。

〈何を話しているのか、確認できるか？〉

山縣が慎重《しんちょう》な口調で問う。

「やれるだけやってみるわ」

公香は答えるのと同時に立ち上がり、トイレに行くふりをしてラウンジの奥に移動し、柱の陰に身を隠した。

聞き耳を立てる。途切れ途切れではあるが、会話が漏れ聞こえてくる。

「はなしが、ちがう……」

聴き取った単語を、小さな声で反復する。

「もうかねはふりこんでいる……」

主に喋《しゃべ》っているのは、ターゲットである田中と、小柄なメガネの男のようだ。

巨漢の方は、ボディーガードのような位置付けなのだろう。

「……しらない。いわれたものを、もってきただけだ」

〈おいおい。なんかヤバイ感じになってねえか？〉

真田が、おどけた調子で口を挟んだ。

同感。これは、どう考えても不倫の現場じゃない。

「ふざけるな！ いくら払ったと思ってんだ！」

聞き耳を立てるまでもなく、メガネの男の身体《からだ》に似合わぬ怒声が、ホテルに響き渡った。

フロントにいた従業員が、何事かと男たちに歩み寄っていく。

二人組の男は、お互いに顔を見合わせると、顎《あご》で合図をして立ち上がり、阿吽《あうん》の呼吸で、田中を挟んで彼の脇《わき》を抱えるようにして強引に立たせる。

田中は、落ち着きなくハンカチで何度も額を拭《ぬぐ》う。

「いいから来い！」

二人は、強引に田中を引っ張っていく。

「場所を移動するみたい」

〈公香。行けるか？〉

山縣から指示が出る。予想通りの展開。

「任せて」

公香は返事をしつつ、男たちの行動を視線で追う。

彼らは、三人そろってエレベーターに乗り込んでいく。

ドアが閉まり、表示が地下二階で止まるのを見届けてから、公香も動き出した。

トイレの入り口脇にある非常階段のドアを開け、足音を響かせないようパンプスを脱いだ。

「今から、地下に入るから無線が聞こえないかも」

公香は、無線に向かって告げると、大きく深呼吸をしてから階段を駆け下りた。

〈気をつけ……〉

山縣の言葉は、途中でノイズに呑《の》まれた。

目的の地下二階にたどり着いた公香は、音をたてないように、慎重にドアノブを回し、隙間《すきま》に身体を滑り込ませるようにして外に出る。

そこは、駐車場になっていた。

ホテルのグレードの問題なのだろうが、ほとんどが外国産の高級車だった。

車の陰になるように身を屈《かが》め、移動しながら彼らの姿を探す。

「いた」

仕切り壁のないだだっ広い駐車場で、思いの外《ほか》、簡単に発見することができた。

巨漢が、田中を強引に黒いベンツの後部座席に押し込もうとしている。

脇で見ているもう一人の男の右手には、拳銃《けんじゅう》が握られていた。

旧ソビエトの軍用拳銃、トカレフだ。九発を装弾し、抜群の貫通力を誇る。

日本であんな物騒なものを持ち歩く連中は、どう考えてもまともな筋の人間ではない。公香の背中を冷や汗が伝った。

車に押し込まれた後の田中が、どんな末路を辿《たど》るのかは、この際考えないようにして、一刻も早くこの場所から立ち去るべきだ。

公香が、逃げ出そうと後退《あとずさ》りした拍子に、肩にかかっていたハンドバッグがコンクリートの上に落下した。

ドサッ。

それは、微《かす》かな音だった。

気付かないで。

祈る公香の願いは届かず、彼らは一斉に視線を向ける。そればかりか、メガネの男がゆっくりと向かって歩いてきた。

どうする？

逃げ切れるか？

だが、下手に動けば撃たれる——。

公香は、決断できぬまま、車の陰で震えていることしかできなかった。

近寄って来るメガネの男の足が見えた。

「おい！　待て！」

駐車場に怒声が響き渡った。

もう終わりだ——。

頭の中が真っ白になる。

バタバタと足音が聞こえる。メガネの男も、方向転換して走り出す。

何が起きたの？

公香は、息を殺しながら少しだけ身を乗り出す。

田中が、アタッシュケースを胸の前に抱え、駐車場のスロープを駆け上がって行くのが見えた。

その後を、巨漢が追いかけている。

「逃がすな！」

メガネの男が叫び声を上げるのと同時に、右手に持っていた拳銃を発砲した。

パン！

乾いた音が響き渡る。

逃げるなら、今しかない。

公香は身を翻《ひるがえ》し、女豹《めひょう》のように階段室へと通じるドアに向かって駆け出した。

八

真田は、シルバーのジッポライターをポケットから取り出し、擦り石を親指で弾《はじ》いた。

黄色い火花が散る。

煙草《たばこ》を吸うわけではないし、ライターにオイルも入っていない。気持ちを落ち着かせる時のクセのようなものだ。

いつでも動けるように、バイクのエンジンは回したままにしてある。

公香と無線連絡が取れなくなって、五分あまり。

彼女に限って、何かあるなんてことはないとは思うが――。

〈大変!〉

突然、公香の声が耳に飛び込んで来た。

ヒステリーを起こしたみたいに、喚《わめ》き散らしている。この仕事を続け、ある程度の場数を踏んでいる彼女が、ここまで取り乱すなんて尋常《じんじょう》じゃない。

〈落ち着け。何があった〉

山縣も、公香の興奮ぶりに釣られて、慌《あわ》てた口調になる。

〈知らないわよ！　銃を持った男がターゲットに発砲したの！〉

息を切らしながらも、公香が言葉を並べる。

〈ターゲットはどうした〉

〈逃げてるわ！〉

どういうことだ？

無線のやり取りを聞きながら、困惑する真田の視界に、田中の姿が飛び込んで来た。

十メートルほど先、ホテルの駐車場の入り口から、必死の形相で駆け出してきた。

胸の前で、大事そうにアタッシュケースを抱えている。

田中は、道路に出ると、左右を確認し、迷った末に公園の方に向かって走り出した。

そのすぐ後を、巨漢が追いかける。

「クソッ！　どうすりゃいいんだよ！」

真田はそう吐き出しながらバイクをスタートさせた。

スピードを上げ、田中を追いかけている巨漢の背中を走り抜けざまに蹴《け》り上げた。

男はアスファルトの上を、ボールみたいに転がり、ガードレールに当たって止まった。

肩を押さえてうめいている。これで、しばらく動けないだろう。

「さて、お次はあいつだな」

さらにスピードを上げようとした真田だったが、田中がその存在に気付き、公園の中に逃げ込んだ。

同じように公園を突っ切ろうにも、車両進入防止のポールが邪魔して中に入れない。

「世話の焼けるおっさんだよ」

真田は、後輪を滑らせ、白い煙を巻き上げながらバイクをUターンさせる。

ブレーキを離すのと同時に、アクセルを思いっきり噴かす。

仰《の》け反《ぞ》るような圧力がかかった後に、バイクが唸《うな》りを上げて走り出した。

多分、あの男はホテルの前の道に戻るはずだ。それで、エントランスに逃げ込むか、国道でタクシーを拾うかのどちらかだ。

だったら、引き返して待ち伏せればいい。

ホテルのエントランスが視界に入る。

「ビンゴ！」

アタッシュケースを抱え、必死に走っている田中の背中が見えた。

ホテルの前に差し掛かったところで、田中は手をつないでいる親子連れにぶつかり、前のめりに倒れ込んだ。

アタッシュケースが、道路の中央に転がる。

巻き添えを食った少女が、膝《ひざ》を抱えて泣いている。

百メートルほど前方。黒いベンツが、一方通行の道路を逆走してくるのが見えた。

あの車、ターゲットを撥《は》ねるつもりだ。

このままだと、あの少女も巻き添えを食う。

どうする?

——お願い! 誰か! 助けて!

耳の奥で、誰かの声がした。

「クソッ!」

真田は、ほとんど反射的にアクセルを捻《ひね》り、バイクのスピードを上げる。

少女の脇でバイクを停め、彼女を抱えて逃げるはずだった——。

だが、ブレーキに手をかけた瞬間、バランスを崩した。

嘘《うそ》だろ——。

コントロールを失ったバイクは、横滑りしながら黒いベンツに向かって突進していく。

真田は、金属がぶつかり合う音を、他人事《ひとごと》のように聞いた。

※　※　※

志乃は、ただ呆然《ぼうぜん》とその場に立ち尽くしていた。

車に撥ねられて死ぬはずだったミキ。

その彼女は、夢で見たのとは違ったかたちで、志乃の前に現れた。

彼女が、現場から遠ざかったことで、死の運命が変わると思っていた。

――だが、違った。

五時ちょうど。ミキは再び現場に戻ってきてしまった。

「お姉ちゃん」

声を上げながら、大きく手を振るミキの姿を見た時、暗い穴の中に突き落とされたような気がした。

なぜ？　なぜ彼女は戻ってきたの？

混乱するなか、足元に紙袋が置かれていることに気がついた。

さっきミキが持っていた袋――。

ミキは、志乃と話をしなければ、この場所には戻ってこなかった。

身体《からだ》を伸ばすようにして、ミキが大きく手を振る。

夢で見た中年の男が走ってくるのが見えた。アタッシュケースを抱えた男。

彼は、ミキを突き飛ばすようなかたちで転倒した。

アスファルトに、アタッシュケースが投げ出される。

そこに、ベンツが走りこんできた。

「お願い！　誰か！　助けて！」

ただ、叫ぶことしかできなかった。

ほんの一瞬の出来事が、コマ送りの映像のようにゆっくりと流れた。

予見された死を変えようと動いたあたしの行動でさえ、運命の一部として取り込まれていた。

全《すべ》ての行動が無駄だった。

それを知った今、抗《あらが》う術《すべ》はない――。

大きな衝撃音とともに、志乃は目を閉じた。

※　※　※

〈真田！　生きてるか！〉

自分を呼ぶ声に反応して、真田の意識は、急速に覚醒《かくせい》する。

夕闇《ゆうやみ》が近くなり、紫がかった空が見えた。

「おれ……生きてんのか……」

口に出すのと同時に、背中に焼け付くような痛みが走った。

「いってぇ！」

〈おい！　真田！　返事をしろ！〉

耳元で山縣の声がする。

真田は、軋《きし》む体に鞭打《むちう》って、上体を起こし、ヘルメットを脱ぎ捨て、水中から顔を出したときのように、ぷはっと息を吐き出した。

「聞こえてるよ」

無線機に向かって返事をする。頬の内側が痛んだ。

唾《つば》を吐き出すと、真っ赤に染まっていた。口の中を切ったようだ。

〈生きてるのか。よかった〉

山縣が安堵《あんど》の息を漏らすのが聞こえた。

「かろうじてね」

〈いったい、何が起きた？〉

警察時代は切れ者と恐れられた山縣も、この事態には、さすがに動揺を隠せないでいるようだ。

だが、それは真田も同じだった。

視線を上げると、すぐ目の前に、仰向《あおむ》けに倒れている田中の姿があった。

後頭部が陥没《かんぼつ》して、大量の血が流れ出している。

わざわざ確認するまでもなく、死んでいるのが分かった。

歩道には、ベンツが乗り上げ、その下にバイクが挟まっていた。

フロントカウルが砕け、ハンドルもあらぬ方向に捻《ね》じ曲がっている。一緒に突っ込んでいたら、確実に死んでたな。

人をかき分けて、走り去る小柄な男の背中が見えた。

「ターゲット死亡。バイク大破。おれズタボロ」

〈ふざけてる場合か？〉

怒気をはらんだ山縣の声が、耳に響く。

あの女の子はどうした？　不意に真田の脳裏に最後に見た映像が蘇《よみがえ》った。

痛みに表情を歪《ゆが》めながらも立ち上がり、辺りを見回す。

いた！

母親らしき女と抱き合いながら、わんわんと泣いている。

無事で何より。ふっと肩の力を抜いた真田は、人ごみの中に、再びあの女の姿を見た。

「君は……」

車椅子《くるまいす》の女。

彼女と視線がぶつかる。

驚いたように頬を引きつらせ、綺麗《きれい》な弧を描く眉《まゆ》の間に、皺《しわ》を寄せていた。

まるで、何かに怯《おび》えているみたいだ。

「おい！　ちょっと！」

真田が声をかけて足を踏み出すのと同じタイミングで、何者かに後ろから腕を摑《つか》まれ、そのままうつ伏せに押し倒された。

予定外のことに反応できず、アスファルトに鼻骨を思いっきり打ち付けた。

熱を持った痛みとともに、ボタボタと鼻血が滴《したた》り落ちる。

「なにしやがる！　離せ！」

必死に逃れようと、大声で騒ぎながら身体を動かしてみたが、ダメだった。

相手は、背中に膝を乗せ、体重をかけているらしく、まったく身動きがとれない。

「お前は、何者だ？」

目の前に、革靴の先端が突きつけられた。

今度は誰だ？　真田は唯一《ゆいいつ》自由になる首を持ち上げた。

年齢は四十くらいか？　オールバックの髪に、太い眉。相手を威圧するような吊《つ》り上がった目。どっかの組の若頭といった感じだ。

「お前こそ誰だよ。名前を知りたきゃ自分から名乗れ！」

「ガキが……」

「そのガキが、世の中のルールを教えてんだよ！」

「もういい。話は、後でじっくり聞かせてもらう」

「なんだそれ」

「連れてけ」

男は、角張った顎《あご》で合図をすると踵《きびす》を返して、遠ざかっていく。

「おい！　待てよ！　説明しやがれ！」

「立て」

背中の男が言い、真田の腕と髪の毛を引っ張る。

「痛てぇよ！　おれは被害者なんだぞ！」

大声で叫ぶ真田の手首に、手錠が嵌《は》められた——。

九

——いったい、何が起きたの。

志乃はベッドの上に腰掛け、興奮状態にある気持ちを鎮《しず》めようと、ゆっくり深呼吸を繰り返した。

冷静に考えるの。

志乃は自分に言い聞かせ、もう一度さっきの光景を頭の中で反芻《はんすう》する。

夢で予見した通り、アタッシュケースの男がミキを突き飛ばし、走って来た黒いベンツに撥ねられて死んだ。

何も変わらない。

今までと同じことが繰り返された。そう思って目を閉じたのに、泣き叫ぶミキの声が耳に届いた。

今までと同じであれば、彼女も死ぬはずだった。

だが、彼女は生きていた——。

「お疲れでしょう。ご気分はいかがですか？」

長谷川が、いつものように静かな口調で話しかけながら、水の入ったグラスを差し出してきた。

志乃は、そのグラスを受け取ったが、喉《のど》を潤《うるお》すことはなかった。

指先の震えで、水が幾重にも波紋を作り出しているのを、じっと見つめた。

「今までは、何も変わらなかったのに、なぜ、今回に限ってあの少女の運命が変わったの？」

志乃は、声が上ずっているのを自覚した。

「これは、あくまで私の推測ですが……」

長谷川が、そう前置きをしてから説明を始める。

「おそらく、お嬢様の予見する死は、お嬢様が、事件になんらかの形で関与するということが前提になっているのではないでしょうか？」

「……あたしが、関与することが前提？」

「そうです。お嬢様が死を予見し、それを止めようと動くことが、折込済みなのだと思います」

長谷川の言葉で、切り立った崖《がけ》の下に突き落とされたような感覚を味わった。

「それじゃあ……」

夢に見る死の運命が、志乃が関与することが前提となっているのなら、止めようとしても無駄だということになってしまう。

「お嬢様。そう落胆《らくたん》することはありません。今日、運命が変わったではありませんか。死ぬはずだった少女の命が救われた」

志乃は長谷川の目をじっと見返した。

「考えてください。きっと、夢の中には存在しなかった何かが起こったのです」

長谷川の声が、志乃の耳の奥でエコーのように響いた。

夢で見た映像とは異なる何か――。

「彼……」

志乃の頭に、ある男の顔が浮かんだ。

ニット帽を被《かぶ》り、引き締まった表情をした青年――。

「彼とは？」

「バイクに乗った彼。少女を助けた青年。あたしの夢の中に、彼は出てこなかった」

「あの若者ですか。死ななかったのが不思議ですね。手錠をかけられていたので、警察に連れて行かれたのでしょう。どうにかして彼を探してみましょう」

「できるのですか？」

「バイクのナンバーを控えておきました。探せないことはないと思います」

志乃は、心臓が昂《たか》ぶるのを感じた。

十

「真田省吾。二十二歳」

柴崎は新宿署で自分のデスクに座り、手元にある資料に目を通しながら呟《つぶや》いた。

児童養護《ようご》施設《しせつ》で育ち、十五歳の時に、真田賢吾《けんご》という医師が養子として引き取っている。

現在は、里親も他界し、世田谷区にある〈ファミリー調査サービス〉という探偵事務所に、住み込みで働いている。

「失礼します」

ドアを開けて入って来たのは、同じ組織犯罪対策課の捜査員、岩本だった。

彼とは何度も捜査を共にしたことがある。血の気が多いところはあるが、優秀で、信頼できる男だ。

「そっちは落ち着いたのか？」

「ええ。だいたい片付きました」

「こっちは、ダメだった」

情けないと思いながらも、ついこぼしてしまう。

想定外の事故のドタバタで、まんまと山城とボディーガードの男に逃げられてしまった。

「さっき、うかがいました。それで、こっちに回してもらいました」

デスクの前に立った岩本が、照れ臭そうに鼻の下をこすりながら言った。

「回る？」

柴崎は、首を捻《ひね》りながら煙草《たばこ》に火を点《つ》けた。

「はい。柴崎さんのチームの補充要員として」

今回の失敗は、捜査員の経験不足と、人員不足から引き起こされた面が大きい。

「お前が来てくれるなんて、願ってもない。助かる」

「いえ。大きいヤマなんでしょ」

岩本が、出走前の競走馬みたいに興奮している。

「確証はないが、そうなりそうだ」

「押収《おうしゅう》されたシャブは、北朝鮮産だって聞きました」

轢《ひ》かれて死んだ田中という男が持っていたアタッシュケース。

あの中には、二キロのシャブが詰め込まれていた。末端価格でグラム、二万円相当だから、四千万円あまりになる。

極めて純度が高く、その成分分析の結果、昨年押収された北朝鮮産の覚醒剤《かくせいざい》と一致した。

「でかいルートがあるとみて、間違いないだろうな」

柴崎は、煙草を灰皿に押し付けた。

今までの南米や中国からの場合は、みやげ物の中に隠したり、袋詰した薬物を運び屋が飲み込み、体内に隠して持ち込んだりと手間がかかる上に、一度に密輸できる量はそれほど多くはない。かわいいもんだ。

だが、北朝鮮は違う。

あの国は、国家事業として麻薬の密売に手を染めているばかりか、それによって得た収益を、軍備増強などの財政にあてているという疑惑がある。

財政危機に陥っている自国の財源の一つとして、密輸を推奨しているのだ。

マフィアが資金源にするのとは、訳が違う。

船に積んできて、領海ギリギリのところに覚醒剤を詰めた容器を投棄《とうき》し、それを漁船に回収させるという方法で、一度に百キロ単位の覚醒剤を密輸している。

おかげで、日本国内に安い覚醒剤が大量に出回る事態を招いてしまった。

数年前、領海侵犯で海上保安庁に追跡され自爆した工作船も、密輸船だった可能性が高いといわれている。

「何からやりましょう?」

岩本の声で、思考が中断された。

柴崎は「これに目を通してくれ」と手に持っていた真田に関する資料を差し出した。

柴崎は自分でやろうと思っていた仕事を、岩本に任せることにした。

「こいつ、怪しいですね」

資料から目を上げた岩本が、目を細める。

「そう思うか?」

「ええ。こういう奴《やつ》は、必ず何か持ってますよ」

「こいつの取調べを頼めるか？」

「任せてください。歌わせてみせます」

柴崎の指示に、岩本が嚙《か》み付かんばかりの勢いで答え、くるりと踵を返した。

「岩本。相手は、まだガキだ。あんまり荒っぽいことはするなよ」

「大丈夫ですよ」

岩本はニヤリと口の端を吊り上げて笑うと、走って部屋を出て行った。

「相変わらず暑苦しい奴だ。さて……」

柴崎は気持ちを切り替えると、もう一枚の資料に目を向けた。

死んだ田中のものだ。運送会社に勤務し、妻と二人の子どもがいる。

彼には愛人がいた形跡があった。

携帯に写真が残っている。だが、それも、本当の愛情関係だったかどうかは怪しい。

愛人も組織の回し者の可能性がある。

田中がどういう基準で組織から選ばれたかは不明だが、いつでも使い捨てのできる駒《こま》として利用されていたのは確かだろう。

ただの運び屋だ。

アタッシュケースに入れたシャブを、取引先に持ち込み、現金を受け取り、それを渡す。

仮に彼が生きていたとしても、大した情報は得られなかったかもしれない。

本来ならば、もっと多くの人員を投入し、大規模に捜査を行うべき案件なのだが、今は、外交的に微妙な時期だから、水面下の問題は、そのまま水の底に沈めておこう——。

警察当局に圧力をかけてくる、政治家たちの思惑が、ありありと伝わってくる。

「クソッ！」

柴崎は苛立《いらだ》ちから、デスクの上に拳《こぶし》を叩《たた》き落した。

十一

「なんで、こんなことになったかな」

真田は、ぼやきながら、留置場の硬い布団の上に仰向《あおむ》けになった。

ただの不倫調査から、まさか留置場に入れられることになるとは思ってもみなかった。昔から運は悪い方だったが、ここまでくると笑えてくる。

身体《からだ》の節々が、じんじんと脈打っている。

そういえば、中学の時も、バイクで事故ったことがあった。

三軒隣の家に住んでいる大学生のタクちゃんが、新車のバイクを買った。

——乗ってみるか？

学校帰り、タクちゃんの家の前を通った時に、声をかけられた。

——マジで？　いいの？

興奮して、叫んだのを覚えている。

バイクにまたがり、エンジンを回すと、尻《しり》に振動が伝わってくる。それだけで、満足だった。

——この辺、走ってみるか？

タクちゃんに操作方法を教わり、家の前の真《ま》っ直《す》ぐな道を、百メートルだけ走るつもりだった。

エンジンをスタートさせ、速度が乗ってきたと思った矢先、いきなり目の前に車が迫ってきた。

その車は、蛇行しながら反対車線に突っ込んできた。

あ！　と思った時には、すでに遅く、十メートルほど撥《は》ね飛ばされた。

死んだと思ったが、額を四針縫うだけですんだ。

MRIだの脳波だのと、ご大層な検査の後、医者は、あれだけの事故で、この程度ですんだのは奇跡だ。君は強運の持ち主だよ。などと言っていたが、そもそも運が良ければ車に撥ねられたりしない。

あの時は、仕事人間の親父《おやじ》が血相を変えて病院に来た。
二、三発ぶん殴られることを覚悟したが、親父はまったく違う反応だった。
——無事でよかった。

目を潤《うる》ませる親父を見て、あの時、なんだか腹が立った。

——こんな時だけ、都合よく顔を出しやがって。

反抗期だったこともあり、理不尽な不満をぶつけたように思う。

その時、親父が口を開くより先に、お袋に引《ひ》っ叩《ぱた》かれた。そのせいで、傷口がまた開き、医者に呆《あき》れられた。

——すまない。お前のことを考えてないわけじゃないんだ。

治療を終え、家に戻った後、親父が頭を下げた。

別に、寂しかったわけじゃない。親父の仕事が大変なのも分かっていたし、ちゃんと、家族に気を遣っていることも知っていた。あんなことを言ったのは、照れ臭かったから――。

だが、親父は違う風に受け取った。それで、多分、自分を責めた。息子が、無免許でバイクに乗ったりしたのは、父親が仕事で家にいない寂しさからだと。

違うんだ。おれがバイクに乗ったのは、そんな大義名分があったわけじゃなくて、乗りたかったから乗った。それだけだ。

お袋にも、謝らなきゃって思ってた。

――あんなこと言ってゴメン。

だけど、それを口にすることはもうできない――。

なんで、こんなことを思い出しちまったんだか。

真田は、布団に横向きに寝転び目を閉じた。

第三章　Change for the……

雨が降っていた。

視界を遮るほどの強い雨――。

高台のような場所だった。住宅街が見渡せて、遠くに、赤と白の縞《しま》模様の煙突が、煙を上げているのが見える。

プールのような、大きな水槽があって、そこに溜《た》まった水に、雨によって発生した無数の波紋が、フラクタルな模様を作り出している。周囲はフェンスに囲まれ、コンクリートが敷き詰められている。

水槽のすぐ横に、中学生くらいの少女がいた。あの制服。見たことがある。

少女は、雨が降っているにもかかわらず、コンクリートの地面にペタンとお尻《しり》をついて座っていた。

ずっとその場所で雨に濡《ぬ》れていたのだろう。前髪から水滴が絶え間なく落ちている。

頬に殴られたような痣《あざ》があった。

二人の男が、彼女を見下ろしていた。

彼らは、不機嫌そうに何かを話し合っている。

少女は、ただ俯《うつむ》いたまま、肩を小刻みに震わせていた。

やがて、一人の男が懐《ふところ》から拳銃《けんじゅう》を抜き、銃口を少女の後頭部に向けると、引き金に指をかけた。

雨の中、猛スピードで突進してくる影があった。

バイクに乗った男。

彼は——。

男がそれに気付き、バイクの男に銃口を向ける。

〈危ない！ 逃げて！〉

叫ぶのと同時に、視界がブラックアウトした。

真っ暗な世界。

激しく打ち付ける、雨の音だけが聞こえた。

やがて、薄《う》っすらと光が見えてくる。

さっきの少女の姿が見えた。

四肢を力なく垂らし、クラゲのように、ふわふわと水の中を漂っている。

その目に、命の光は宿っていなかった——。

一

志乃は、戸惑いながら目を覚ました。

白い天井を見上げたまま、しばらく起き上がることができなかった。

今までの夢とは、何かが違う——。

その原因はすぐに思い至った。

今まで見てきた死の夢は、どういう方法でその人物が殺されるのか、はっきりと認識できた。しかし、今回は肝心なその部分が、すっぽりと抜け落ちている。

少女の死んだ原因が明らかではない。

思考をめぐらせようとした志乃であったが、それを拒むかのように脳に締め付けられるような痛みが走る。

不意に、血塗《ちまみ》れになった母の顔が浮かびあがった。

——違う。

志乃は頭を振って、それを振り払う。

だが、すぐに次の映像が現れた。

鉄パイプで身体《からだ》中を殴られ、苦悶《くもん》の表情で叫ぶ少年――。

腹をナイフで刺され、血塗れになりながら床を転げまわる女性――。

電車に撥《は》ねられ、バラバラになる男――。

すべて、志乃が十二歳のとき、母が自動車事故で亡《な》くなった直後から見続けている、死の夢のシーンだ。

身体が熱を帯びていく。

「……やめて。お願い……やめて……」

志乃は次々と頭の中に映し出される映像を振り払おうと、麻の布団《ふとん》を跳ね上げる。

だが、それでも死に顔は頭の奥にこびりついて剝《は》がれない。

呼吸が苦しくなる。

志乃は胸を押さえながら車椅子《くるまいす》に乗り移ろうとした。地震が起きたように、目の前がぐらっと大きく揺れる。

バランスを崩し、そのままフローリングの床の上に転がり落ちた。

背中に強い痛みがあった。

じんじんと疼《うず》くその痛みは、志乃の非力さをあざ笑っているかのようだった。

「お嬢様、どうなさいました？」

寛子が、血相を変えて部屋に入って来た。

志乃は、寛子の手を借りて、ベッドの上に座る。

「大丈夫ですか？」

寛子が心配そうに顔を覗《のぞ》き込んで来る。

物静かで、普段、ほとんど口を開かない彼女が、こんなにもうろたえている姿を初めて目にした。

「ええ。平気よ。ありがとう」

これ以上、心配させまいと、痛みを堪《こら》えて笑顔を浮かべた。

「よかった」

彼女は、心底安堵《あんど》したような表情を見せた。

「長谷川さんを呼んできてもらえるかしら」

志乃の言葉に、寛子は頷《うなず》いてから部屋を出て行った。

目を向けると、左手が微《かす》かに震えていた。右手でそれを押さえ込む。

何か、悪いことが起きる——。

そんな予感がした。

二

「だから、暇つぶしにバイクで走ってただけだって」

真田はパイプ椅子にもたれるように座り、口を尖《とが》らせながら言った。

もういい加減うんざりだ。

夜も明けきらぬうちから、デスクとパイプ椅子しかない狭い部屋に閉じ込められ、延々と同じ質問が繰り返されている。

「嘘《うそ》を吐《つ》くな」

向かい合わせで座っている岩本という男が、不機嫌そうに煙草《たばこ》を灰皿に押し付けた。名前と同じで、岩みたいにゴツゴツした顔をしている。

「嘘じゃないって。バイクで走ってたら、いきなりベンツが逆走してきたんだよ」

「そんな言い訳が通用すると思ってるのか？」

「だから。言い訳じゃねえよ」

「いい加減にしろ！　本当のことを言うまで、帰さんからな」

岩本は、額に血管を浮き上がらせながら真田に詰め寄る。

「そんなことできるわけないだろ。警察の勾留《こうりゅう》期限は四十八時間のはずだぜ」

真田は軽い口調で答えながらも、懸命に考えを巡らせていた。

正直、何が起きているのかまるで情報がない。岩本も、何を調査しているのか口にしようともしない。

何も知らずに、尋問だけ受けるというのは、どうも納得できない。

「四十八時間あれば、どうにかなるさ」

岩本が、不敵な笑みを浮かべる。

「容疑もないのに？ ただの事故だろ。それも、向こうが全面的に悪いんだ。ちゃんと説明して欲しいね」

「うるさい。お前が本当のことを喋《しゃべ》らないからだろ」

「だから、本当のことだって」

「信用できんな」

岩本が、舌打ちをしながら睨《にら》みつけてきた。

「あんた、あんまりしつこいから女に嫌われるんだよ」

「は？」

真田の言葉の意味を理解できない岩本は、怪訝《けげん》な表情を浮かべて首を捻《ひね》る。

「だから、男には女の嘘を知っていて受け入れるくらいの寛大《かんだい》な心が必要だって言ってるんだよ」

「いい加減にしろ！　お前は男だろうが！　話を摩《す》り替えるんじゃない！」

言葉の意味を理解したらしい岩本が怒声をあげる。反抗期のガキみたいな剣幕《けんまく》だ。

「え？　違ったの？　カリカリしてるから、女にフラれたのかと思った」

真田は、肩をすくめて大げさにおどけてみせる。

「お前のせいで、長年の捜査がぶち壊しになったんだぞ！　分かってんのか！」

岩本は、唾《つば》を撒《ま》き散らしながら、スピッツみたいにギャンギャンと吼《ほ》える。

「捜査の失敗は、あんたらの責任だろ。自分たちの無能を、民間人に押し付けるの？　そんなだからダメなんだよ」

「舐《な》めるなよ！」

岩本は、真田のワイシャツを引き裂かんばかりに摑《つか》み上げた。

「舐めるなら、女がいい」

言い終わる前に、岩本の拳《こぶし》が真田の左の頰を捕らえた。

突然のことに、受身も取れず、パイプ椅子ごと床にひっくり返った。

熱を持った痛みとともに、鉄の味が口の中に広がっていく。昨日の傷口が、また開いたようだ。

拳まで岩みたいな野郎だ。

「立て！」

言いながら、岩本が真田の腹を蹴《け》った。

「民間人に手を上げるのはマズいんじゃないの？」

真田は、げほげほとむせ返りながら起き上がる。

「お前は民間人じゃねえ。北のスパイだろ」

岩本が真田の肩を抱くようにしながら、低い声で言った。

なるほど。そういうことだったか。

真田は事務所にやってきた田中の細君の顔を思い出した。化粧が厚く、神経質そうな女だった。

彼女は、何年も前から夫の浮気を確信していて、離婚のために、決定的な証拠を欲しがっていた。

細君は、良くも悪くも、自らの夫を見誤っていた。

そんで、おれたちはそのとばっちりを食ったというわけか。

まったく。ついてない。

「残念。おれの上司は女王陛下だよ」

「は？」

岩本が理解できないという風に首を傾《かし》げた。頭まで硬いらしい。

「コードネームは０　０　７《ダブルオーセブン》」

「なんだと！」

怒りに任せ、岩本が再び拳を振り上げるのと同時に、ドアが開いた。

「岩本さん」

ドアから顔を出したスーツ姿の男に声をかけられ、岩本の動きが止まる。

「なんだ」

「ちょっと来て頂けますか？」

「今、大事なところだ。後にしろ」

「柴崎さんが呼んでます」

男が言ったその一言に、岩本の表情が変わった。

岩本は、しばらく思案していた様子だったが、やがて舌打ちをしてから、男と一緒に部屋を出て行った。

妙な感じになってきやがった。

※　※　※

「まったく。たいしたガキだ」

マジックミラー越しに、真田と岩本のやりとりを眺めていた柴崎は、思わず呟《つぶや》いた。

本心から出た言葉だった。

岩本は血の気が多いところがあるが、それでも多くの経験を積んだ兵《つわもの》だ。それが、二十歳《はたち》そこそこのガキに舐められっぱなしだ。

おまけに、余計な情報まで喋ってしまっている。

「だろ。手に負えなくて困ってるよ」

柴崎の傍《かたわ》らに立っていた男が、のんびりとした口調で言った。

彼の身元引受人として出頭した山縣だ。

馬面《うまづら》に眠そうな目。顎《あご》には無精ひげを生やし、汗の臭《にお》いが漂ってきそうなくたびれたスーツを着ている。

下がり気味の眉《まゆ》は、頼りない印象を与え、実際の年齢である四十五歳より、ずっと老《ふ》けて見えた。

だが、それが見せかけだけのものであることを、柴崎は過去の経験から知っていた。

「鬼の山縣も、ガキ相手に形無しですね」

「鬼ねぇ……。今じゃ猫ってとこかな」

山縣はバツが悪そうに、鼻の頭を掻《か》いた。

「猫をかぶっているの間違いでしょ」

「そう見えるとしたら、買いかぶりだよ」

そんなはずはない。あなたは昔のままだ。柴崎は言いかけた言葉を飲み込んだ。

少人数での監視だったとはいえ、山縣たちの存在は完全にノーマークだった。極自《ごく》然に紛れ込んでいた。

「……彼を仕込んだのも山縣さんですか？」

柴崎は、マジックミラーの向こうにいる真田に視線を向けた。デスクに頬杖《ほおづえ》をつきながらも、視線をこちらに向けている。

真《ま》っ直《す》ぐに伸びた鼻筋の下で、不敵な笑みを浮かべている。

まるで、全《すべ》てお見通しだと言わんばかりだ。

「仕込んだというほどのものじゃない。あいつは元々クレバーなんだよ」

山縣は、目を細めた。

「しかし、山縣さんのところの従業員なんですよね」

「まあ、そんなところだ」

「住所も一緒です」

「彼は、昔の知人の息子でね。今はおれが預かってる」

歯切れの悪い山縣の対応は気になったが、あえて突っ込んだ質問はしないことにした。

無関係なことに首を突っ込んでいるほどの人的余裕はない。

昨日の捜査も、あと三人いれば、取り逃がすような失態は犯さなかった。

「山縣さん。うちの捜査に協力してくれませんか？」

柴崎は、胸の内にあった願望を、思わず口に出して言ってしまった。

山縣は、元警視庁防犯部の敏腕刑事だった男だ。射撃の腕もピカ一で、オリンピックの代表候補に選ばれたほどの人材だ。

「冗談はやめてくれ」

山縣が、ハエを追い払うように手を振る。

「冗談ではありません。本気です。情報収集だけでいいんです」

いつの間にか、柴崎の訴えは熱を帯びていた。

民間人である探偵を捜査に参加させることは、当然できない。だが、彼らの持っている情報を流してもらうだけでも、ずい分捜査には役立つ。情報を収集する場合にも、警察が動くより、探偵が動いた方が、情報を引き出せる確率は高い。警察という組織を嫌悪《けんお》している人間は、想像よりはるかに多い。探偵は、時として警察より多くの情報を持っている。

「……正直もうかかわりたくない」

山縣は、気だるそうに白髪交じりの頭を掻いた。

「なぜそんな弱気なことを？」

「歳《とし》を取ったんだよ」

「そうは見えません」

「一人身なら、考えないこともないが、おれは、あいつを含めて二人のかわいいガキを抱えてる。それを、危険な目に遭わせるわけにはいかない」

山縣の発した言葉は、大きな矛盾をはらんでいる。

「危険な目に遭わせたくないのなら、なぜ探偵などやらせているのですか？」

言うつもりはなかった。だが、つい言葉になって出てしまった。

なぜ自分はこんなにもムキになっている？　柴崎自身にもその理由は分からなかっ

た。

「昔とった杵柄《きねづか》だ。警察上がりにできるのは、警備会社か探偵くらいだろ」

山縣は目を細め、自嘲《じちょう》気味に笑った。

「我々と何も変わらない」

「まったく違うさ」

「いえ。同じです」

「違うんだよ」山縣は、諭《さと》すような口調で続けた。「おれたちが追うのは組織じゃないし、密輸も関係ない。浮気に悩む奥さんの相手がほとんどだ。人の生き死にを見るのは、もうたくさんだ」

柴崎は、返す言葉が見つからず、煙草《たばこ》に火を点《つ》けた。山縣にも勧めたが「やめたんだ」と首を振った。

なぜ、こんな話をしてしまったのか？

捜査が思うように進まないことに対する焦燥感《しょうそうかん》からか、それとも思いがけず昔の上司に再会した懐《なつ》かしさからか——。

「つまらない話をしてしまいました。スミマセン」

柴崎は素直に詫《わ》びた。

「苦しい状況なんだな」

「ええ。皆川《みながわ》さんがいてくれれば。今でもそう思うことがあります」

「いない人間に頼ったって、何も変わらんぞ」

「そうですね……」

柴崎は落胆のため息をついた。

「それより、奥さんと、娘さんは元気にしてるのか？」

停滞した重苦しい空気を振り払うように山縣が話題を替えた。

「ええ。生意気盛りで困っています」

社交辞令の会話だと分かってはいても、娘の話になるとつい顔がほころんでしまう。

「幾つになった？」

「今年、中学に入学しました」

柴崎はスーツの内ポケットから警察手帳を取り出し、身分証の裏側にある家族の写真を山縣に見せた。

「ほう。もうこんなに大きくなったか。おれのことなど覚えてないだろうな」

「そんなことありません。今度、時間を作って遊びに来て下さい。女房も喜びます」

「時間を作るのは、お前の方だろ。誘ってくれるのを楽しみにしているよ」

「そうですね。今度の件が片付いたら是非」

言いながら、柴崎は自分が十年前の過去に戻っていることに気付いた。

「さて、昔話はこれくらいにして、そろそろうちのガキを返してもらっていいかな」

山縣が顎でミラーの向こうにいる真田を指しながら言った。

三

「まったく。散々な目にあったよ」

ミニバンの助手席に座った真田は、大きく伸びをしながら不満を吐き出した。

とんでもない災難だった。元々運の無い方だという自覚はあったが、昨日からの出来事はワースト3に入る。

「命があっただけありがたく思え。お前にはいい薬になった」

運転席の山縣は、飄々《ひょうひょう》とした口調で言うと、アクセルを踏み込んだ。

「病気でもないのに逆効果だよ。余計におかしくなりそうだ」

「警察を挑発するような奴は、充分に病気だよ」

「なんだよ。見てたんだったら、もっと早く解放してくれよ。顎がまだじんじんする」

「だから、いい薬だって言ってるんだよ」

山縣は、目尻《めじり》に深い皺《しわ》を刻んで笑った。

あれだけのことがあって、こうやって笑ってられるのだから、そうとう図太い。

「それで、あの田中って奴は何者だったんだ？」

真田はそれとなく話題をふってみた。

岩本の言葉の端々から、多少の情報収集はできたものの、具体的に自分たちがどういうことに巻き込まれたかまでは理解できていなかった。

「命があっただけありがたいと思え。そう言ったはずだぞ」

山縣の言葉には、命令するような響きがあった。

「分かってるけどさ。気になるじゃんか」

ごねる真田に、山縣は呆《あき》れたように首を振る。

「彼らは、警視庁の組織犯罪対策部のメンバーだ。所属は新宿署」

「それって、暴力団とか、麻薬の密売組織を追ってる連中だろ」

「そうだ」

これまでは、銃器、薬物、暴力団、外国人の組織犯罪などは、それぞれ個別の部署が行ってきた。しかし、それらの犯罪は、全て関係性を持って実行されている。

その情報と取締りを一括して掌握《しょうあく》するため、組織犯罪の多い、新宿、池袋、渋谷などの各警察署に設置されたのが組織犯罪対策課だ。

彼らが関わってきたということは——。

「田中は、麻薬密売とか、そういうことに関与してたってことか？」

「麻薬なのか、銃器なのか、暴力団なのか、何にしても命にかかわることだ。もう、忘れろ」

「だけどさ、依頼人には何て説明するんだよ？　まさか、さっきと同じことは言えないだろ」

たかが探偵ごときが首を突っ込む事件でないことは承知している。だが、それでも何が起きたかくらいは知っておきたい。

それに、山縣の反応も気になる。

何も知らないのではなく、知ってはいるが言いたくない。そんな気配がありありと伝わってきた。

「契約書を読め」

「契約書？」

「そうだ。二十六条。不測の事態により捜査続行が不可能になった場合、ただちに捜査を中止する。この場合、最初の契約金だけ受け取り、後の費用請求は無しだ」

「そういうことを言ってんじゃないだろ」

「もう言うな」

山縣は、その言葉を最後に、会話を打ち切った。

こうなると、山縣は何を言ってもムダ。貝みたいに口を閉ざしてしまう。

「やられ損かよ」

真田は舌打ちまじりに言い、窓の外に視線を向け、ジッポのライターの擦り石を、親指で弾《はじ》いた。

まあ、いい。教えてくれないなら、時間を見つけて調査してみるだけのことだ。

あれだけのことに巻き込まれて、何も知らないで終わりなんて納得できない。

その後、山縣とは言葉を交わすことなく、車は世田谷通りから環状七号線に入り、笹塚《ささづか》方面に直進する。

しばらく走った後、脇道《わきみち》を抜け、五分ほどで事務所に到着した。

元々、自動車の整備工場だった建物を居抜きで借りうけ、改装して事務所にしてある。

陸屋根《ろくやね》式の二階建てで、一階にはシャッター付きのガレージがあり、二階が事務所兼住居になっている。

ガレージの脇に〈ファミリー調査サービス〉という小さな看板が取り付けてある。親しみ易《やす》い名前がいいと山縣がつけたものだが、余計に怪しい。

真田は車を降りると、壁の脇にある操作盤のスイッチを入れ、ガレージのシャッターを開けた。

山縣が馴《な》れた運転で、ガレージに車を入れる。

「あーあ、ひでえもんだ」

ガレージの電気を点けた真田は、思わず落胆の声を漏らした。

オイル缶やら、整備用の工具が散乱する中にまじって、ぐしゃぐしゃに潰《つぶ》れたバイクが横たわっていた。

改めて確認するまでもなく――、

「こりゃ、廃車《はいしゃ》だな」

「新しいのを買う余裕はないぞ」

車から降りた山縣が、次に言う台詞《せりふ》を先読みして口にした。

「ええ！　そりゃないいんじゃないの。次から尾行はどうすんのさ」

真田は駄々っ子みたいにその場に座り込んで口を尖《とが》らせる。

「直せると思ったから持ってきたんだよ」

「本気で言ってんの？　無理でしょ。プラモデルじゃないんだから」

「為《な》せばなる」

「おれは整備士じゃないんだぜ。それに、急な依頼とかあったらどうすんだよ」

「そん時は、あれを使え」

山縣が顎《あご》で指し示した先に、シートをかぶったバイクが置いてあった。

真田は、その中身を知っている。ヤマハ、ドラッグスター四〇〇。ここに事務所を構えた時、置き去りにされていたものを、山縣が走れるまでに整備したものだ。

「やだよ。あれ、チョッパーハンドルじゃんか」

もともと暴走族が乗っていたものらしい。ハンドルの位置が、異常に高い。

「どんなハンドルだろうと、走ればいいだろ」

「いいじゃん！　買ってよぉ！」

なおもアピールするが、山縣は何も聞こえていないみたいに、すたすたとガレージの奥にある階段を登っていってしまった。

真田は、しばらくそのまま粘ってみたが山縣が戻ってくることはなかった。

「あのクソじじい」

真田は、諦《あきら》めて埃《ほこり》のかぶったシートを引っ張った。

赤いボディーのドラッグスターが姿を現す。

またがってみると、ハンドルがほとんど肩の高さになっている。

エンジンを回すと、ドッ、ドッ、ドッというやけにデカイ排気音が響く。

「こんなんで尾行なんかできるわけねえだろ」

真田は、不満をぶちまけながらバイクを下り、事務所へと通じる階段を駆け上がった。

ドアを開けると、対面のデスクに座った公香が、静かにするようにと口の前で人差し指を立てた。

「来客？」

「そう。山縣さんが対応してる」

公香が事務所の奥にある、応接スペースに目配せをした。

応接と言っても、十坪ほどしかないスペースでは、個室を作れるわけもないから、中古品のパーティションを事務所の角に立てただけの急ごしらえのものだ。

「商売繁盛《はんじょう》。いいことだね」

真田は公香と向かい合った自分の席に腰を下ろした。

デスクの上には、分解した機械の部品が散らばっている。

バイクのフロントライトの脇に、ビデオカメラを内蔵させ、手元のスイッチで操作できるようにしようと四苦八苦している最中だった。

だが、バイクがあの状態ではしばらく出番はなさそうだ。

真田は、デスクの脇に乱雑に置かれたダンボール箱の一つを開け、その中に部品を放り込んだ。

「そんなことより、あの客。ちょっと訳ありっぽいわね」

真田がデスクの片付けを終えるのを見計らって、公香が話を振ってきた。

「訳あり？」

「そう。あなたたちが帰ってくるちょっと前に来たんだけど、あたしがいくら訊《き》いても依頼の内容を口にしないのよ」

「男？　女？」

「男。六十くらいかな」

「妻の浮気に悩むサラリーマン」

「多分、違うわね。身なりとか、雰囲気が、なんか上品なのよ」

「偏見だね。それじゃサラリーマンは下品みたいな言い方じゃんか」

鼻で笑い飛ばしはしたものの、真田は急速にパーティションの向こうにいる人物に興味を持った。

音をたてないように注意しながら、後方に椅子《いす》を滑らせ、壁際《かべぎわ》のキャビネットに置いてある鏡の反射を使って、覗《のぞ》き見しようとする。

「真田。いるか？」

突然、山縣からお呼びがかかった。

「はい」

真田は拍子抜けしながらも席を立ち、パーティションの内側にある応接スペースに顔を出す。

「呼んだ？」

「座れ」

山縣に言われ、真田も依頼人と向かい合うかたちで、擦り切れた合成皮革のソファーに腰を下ろした。

「あ……」

真田は言いかけた言葉を、慌《あわ》てて呑《の》み込んだ。

目の前に座るこの男――。

昨日、車椅子の女と一緒にいたやつだ。口に出すべきか？　男の顔をうかがう。何も気付いていないように涼しい顔をしている。

事情が分かるまではとりあえず黙っておこう。

真田は視線を、テーブルの上に置かれた名刺に向けた。

クリーム色の、いかにも高級そうな紙に、長谷川功《いさお》という名前と、住所、電話番号、携帯電話番号などの連絡先が記載されていた。

「先方が、お前をご指名だ」

山縣が目を細めながら言った。

「指名？」

真田の声が裏返った。

キャバクラじゃあるまいし、指名とはいったいどういう了見だ？

「今回の依頼は、お前が担当として加わることが条件だそうだ」

うちは三人しかいないから、いやでも担当になる。大手の興信所か何かと勘違いしているらしい。

「内容は？」

「ある人物を探して欲しいということだけだ。詳しくは、先方に出向いて話を訊くことになる」

珍しく山縣の言葉は歯切れが悪かった。

喉《のど》に小骨が引っ掛かったみたいな表情をしている。

「そういうことでよろしかったですね」

山縣が男に問う。

「ええ。無理を言ってしまって申し訳ないのですが、こちらとしても色々と事情があります。どうかご理解ください」

長谷川は、子どもに言って聞かせるように、ゆっくりとした口調で言い、深々と頭を下げた。

なんだかうさん臭い話だ。

思わず口に出しそうになった言葉を慌てて飲み込んだ。

「それで……どうするつもり？」

真田は横目で山縣を見ながら、声を低くして問う。

だが、その答えはだいたい見当はついていた。山縣は見かけによらず、律儀《りちぎ》な男だ。事情を聞く前から依頼を断ったりはしない。

「先方の家に行き、依頼内容を確認する。仕事を受けるかどうかはその時に決める」

「なるほど」

真田は相槌《あいづち》を打つ。

「それでよろしいですか？」

山縣は改めて長谷川に視線を向ける。

「ええ。構いません。私どもはお願いしている身ですから」

四

真田は長谷川の運転するBMWの助手席にいた。

本革の座り心地に誰もが満足するとは限らない。尻《しり》にまとわりつく感触と、独特の臭《にお》いで酔いそうだ。

環七から世田谷通りに入り、真《ま》っ直《す》ぐ成城方面に向かっている。

ルームミラーに視線を向けると、ピッタリと後をついてくる黒いミニバンが見えた。

山縣と公香の乗る車だ。

出発前、山縣は真田にもミニバンに乗るよう指示したが、たまには高級車に乗りたい、とそれを拒否してBMWの助手席に収まった。

本気で高級車に乗りたかったわけじゃない。

「あんた、昨日、事故現場にいただろ」

真田は真っ直ぐに前を見たまま、単刀直入に切り出した。

長谷川は一文字に口を結び、どう答えるべきか思案しているのがありありと分かった。

「昨日、おれはあんたを見た。車椅子の女と一緒にいた。それで、今日になっておれのところに姿を現した。これは、単なる偶然か？」

逃げ道をふさぐように、さらに言葉を続けた。

「敢《あ》えてあなた一人でこの車に乗ったということは、他のお二人はそのことを知らないということですか？」

長谷川は同意の代わりに言った。

頭の切れる男だ。

「ご名答。ただの偶然なら、知る必要もないと思ってね」

「お察しの通り、偶然ではありません。昨日のことがあって、あなたを探しました」

長谷川は、目尻に皺《しわ》を寄せて人懐《ひとなつ》こい笑みを浮かべた。

「なぜ、おれを探したのか、できればその理由が知りたいんだけどな」

「時が来ればおのずとその答えは見えてきます」

どこぞのアニメみたいに回りくどい言い方だ。

真田は沸きあがる苛立《いらだ》ちを、腹の底に沈めた。何を企《たくら》んでいるかは知らないが、もう少し様子を見よう。

その後、長谷川と言葉を交わすことはなかった。

ＢＭＷは、その車両の価格に見合った住宅街へと進み、高台にある屋敷の前で停車した。大層な構えの門柱に「中西」という大理石の表札がかかっている。

「すっげぇ家だな」

真田は思わず感嘆の声を上げた。

イギリスのお城を思わせる、チューダー様式、三階建ての洋館。

茶色の長手のレンガに、装飾を施された柱。建物の両端は、塔のようになっていて、傾斜の急な三角屋根が載っている。

床面積だけで、千平米は下らないだろう。

長谷川は、車から降りることなく、ポケットから取り出したリモコンのスイッチを押した。

それと同時に、黒い鉄扉《てっぴ》の門が、ゆっくりと開き、車は敷地の中に入って行く。

門から、建物の脇《わき》に設けられたガレージまで、舗装された道が続いていて、その周りはきれいに刈り揃《そろ》えられた芝生で敷き詰められていた。

塀に沿って、青々と葉をつけた月桂樹《げっけいじゅ》が並んでいる。

「到着しました」

長谷川は、ガレージに車を停車させると、わざわざ助手席側のドアを開けてくれた。

まるでVIPの扱いだ。

「これ、あんたの家?」

真田は車を降りながら長谷川に声をかける。

「いえ。主《あるじ》の所有物です」

「主ねぇ……」

平成の世に、そんな言葉を聞くとは思わなかった。

「元は、明治に建てられた華族の屋敷だったのですが、それを先代が買い取ったのです」

「なるほどね」

真田は、返事をしながら門に視線を向けた。

敷地に面する道路脇に、黒のミニバンが停車しているのが見えた。

ちょうど、山縣が助手席から降りてくるところだった。運転席の公香は、車を降りる様子はない。

山縣は、公香を緊急時のための逃走手段として考えているのだろう。

なんとも頼りない風貌《ふうぼう》をしているが、つくづく抜け目がない。

「こちらです」

長谷川に先導されながら、真田は装飾の施された、観音開《かんのんびら》きのドアの前に立った。

「高級車の乗り心地はどうだった？」

山縣が真田の横に並びながら声をかけて来た。

「根が貧乏性《びんぼうしょう》だから、本革は逆に落ち着かなかった。吐きそうだよ」

「お揃いですか？」

長谷川が真田と山縣の顔を順番に見ながら訊《たず》ねる。

その言葉の裏には「彼女は来ないのか？」という意味が含まれているのだろう。

「ええ。こちらは二人だけです」

山縣が、はっきりとした口調で答えた。

「では、参りましょう」

長谷川は、ドア脇の柱に取り付けられたカードリーダーにカードを通し、ロックを解除すると、ドアを押し開けた。

その先には、吹き抜けのエントランスがあり、シャンデリアがぶら下がっていた。

床は大理石で、その上に赤い絨毯《じゅうたん》が敷かれている。

柱から、窓枠に至るまで、華麗なアールデコ調の装飾が施され、指で触れることさえ憚《はばか》られた。

「金は、あるところにはあるもんだねぇ」

「少し黙ってろ」

山縣に肘《ひじ》で小突かれる。

「お行儀が悪かったようで」

真田は肩をすくめてみせた。

「こちらでございます」

長谷川は、笑顔で一度振り返り、真田と山縣をエントランスの先にある、ループ状の階段に先導する。

木目の階段の手すりには、不釣合いな金属製のレールが取り付けられていた。

「ここは、中西克明様のご自宅です」

長谷川は階段を上りながら口にした。

「有名人？」

真田は、長谷川に訊《き》きかえした。

「中西運輸の二代目社長です」

「中西運輸？」

聞いたことがない。

「主に海外のアンティーク家具の輸入をやっています」

長谷川が、ちらりと振り返りながら説明を加える。

「なるほど」

それなら、知らなくて当然だ。

商社や、大型販売店ならともかく、専門的に輸入や卸をやっている会社の名前など、その業界に携わっていなければ、耳にすることはない。

話の流れからして、これから会うのは、その中西運輸の社長さんなんだろう。真田は、漠然とそう感じていた。

「こちらです」

長谷川は、階段を上がってすぐのところにあるドアの前で立ち止まると、ノックし、中に入るよう促した。

八畳ほどの広さの部屋だった。

縦長の窓があり、ベージュのカーテンが閉められている。

部屋の中央には、アンティーク調の応接セットが置かれ、壁際《かべぎわ》には、レンガ造りの暖炉《だんろ》が設置されていた。

そこに、背を向ける格好で座る人の姿があった。

肩まで伸びた艶《つや》のある黒い髪。ガラス細工のような脆《もろ》さを感じさせる肩。

想像していた依頼人とは、まったくの別人。女だ――。

それに、彼女が座っているのは車椅子《くるまいす》。

「お連れしました」

長谷川が告げると、その女は、車椅子を器用に動かし、ゆっくりとした仕草でこちらに身体《からだ》を向けた。

少し潤《うる》んだ、黒目がちな瞳《ひとみ》が、真っ直ぐ真田に向けられる。

「君は……」

途中から薄々感づいてはいたが、それでも真田は思わず声を漏らした。

昨日、事故現場にいた車椅子の女――。

「中西克明様のご令嬢で、志乃様です」

長谷川が、志乃の横に立ち紹介をした。彼女は、長い睫毛《まつげ》を伏せ、目礼する。白のワンピースに、薄いピンクのロングカーディガンを合わせ、いかにも清楚《せいそ》なお嬢様といった雰囲気をかもし出している。

均整のとれた美しさを持っているが、感情を置き忘れたように、表情が硬い。

「知ってるのか？」

横に立っていた山縣が、真田だけに聞こえる声で尋ねてきた。

「前にナンパした女に似てるんだ」

突っ込まれるかと思ったが、山縣はふっと短い息を吐き出しただけだった。

「どうぞ、おかけになってください」

長谷川に促され、真田は木枠のソファーに腰を下ろした。

山縣は、物珍しそうに部屋の中をぐるりと回り、カーテンを開けて窓の外の様子を窺《うかが》ってから真田の隣に座る。

「何やってんだよ」

真田は落ち着きの無い山縣の行動に、小声で文句を言ったが、無視された。

志乃が、長谷川に車椅子を押してもらい、向かい合う位置に移動してきた。

「お呼びたてしてしまって、申し訳ありません」

そう言って頭を下げた志乃の声は、フルートの音色のような美しい響きだった。

この声、どっかで聞いたことがあるような――。

「あんたが依頼人なのか？」

真田は戸惑いながらも口にした。

「ええ。そうです」

志乃が、商品を見定めるように目を細める。

「依頼内容はデートか？」

「いいえ。デートなど、あたしには必要ありません」

志乃は、表情を変えなかった。

冗談の通じないタイプのようだ。天然なのか？　それともプライドが高いのか？

どっちにしても面倒臭そうだ。

「デートじゃないとすれば、おれは何をすればいい？」

真田は改めて質問を投げる。

「ある、人物を探して欲しいのです」

「昔の恋人探しとか？」

「いいえ。探して欲しいのは女性です」

「へえ。生き別れになった母親とか」

「母は死にました」

「悪かった」

「謝るくらいなら、最初から言わないでください」

おお怖《こわ》。綺麗《きれい》なバラにはトゲがある。

「分かった。話を戻そう。探して欲しいのは、あんたとは、どういう関係の人物だ？」

「できれば、そこはお話ししたくありません」

ここは、答えてもらわなければ困る。

人探しはデリケートな案件だ。会いたいという願望があっても、相手もそう思っているとは限らない。中には、恨みを晴らすために探すなんて場合もある。

「そういうわけにはいかない。余計なトラブルに巻き込まれるのはゴメンだからね」

「相応《そうおう》の報酬《ほうしゅう》は払います」

こういうお嬢様は、金さえ払えば、なんでも自由になると思っているようだ。

このまま押すのもいいが、ちょっと興味もある。真田は、別の質問をすることにした。

「質問を変えよう。その女性の名前は？」

「分かりません」

即答だった。

「分からない？　探すのは知り合いじゃないのか？」

「もちろん、顔は知っています。しかし、名前は存じ上げません」

「名前も知らない人間を探すのは、ちょっと難しい」

真田は渋ってみせた。

本当のことを言えば、名前が分からずとも、キーになる情報があれば探せないことはない。

名前など、所詮《しょせん》は名刺みたいなもので、どうとでも名乗れる。

「名前は分かりませんが、それ以外の情報はいくつか持っています」

「どんな情報だ？」

「年齢は十三歳から十五歳。おそらく聖城中学校の生徒だと思います。制服に特徴があるんです」

「中学生？」

ますます分からない。

「それから、写真はありませんが……」

志乃が長谷川に目配せをする。

長谷川は心得ているようで、一礼してから壁際のサイドボードの上に置かれた画用紙を取り上げ、真田に差し出した。

画用紙には、デッサンで一人の少女が描かれていた。

「これは？」

「その少女の似顔絵です」

志乃が答えた。

うつむき、哀《かな》しそうな表情をした少女だった。

実物を見ていないので、似顔絵としての完成度は判断できないが、一枚の絵としては、感嘆すべきものだ。

顔の陰影はもちろん、細部に至るまでしっかりと描き込まれている。

その瞳から、今にも涙がこぼれ落ちてきそうなほどリアリティーがあった。

「登校する生徒の中から、この絵に似た女の子を探して頂くだけで構いません。さほど手間のかかることではないと思います」

志乃の言う通り、手間のかからない簡単な依頼だ。それだけに、どうもうさん臭い。

「本当に探すだけでいいのか？」

「……」

志乃の目が、驚いたように丸くなる。

「彼女を探すだけなら、わざわざ探偵を雇うほどのことじゃない」

「お気に召しませんか？」

「おれたちは、あんたの秘書じゃない。できることは自分でやってくれ。他に用件がないなら帰らせてもらう」

真田はソファーから立ち上がった。

山縣は、じっと画用紙を見つめたまま動かない。

志乃は、諦《あきら》めたようにふうっと肩を落とした。

「お察しの通りです。できるなら、しばらく彼女を監視して頂きたいのです」

「監視？」

中学生の女の子を監視するのは、変態趣味の男だけだと思っていた。

「はい。学校から家に帰るまでの間で構いません」

「期限は？」

「雨が降るまで……」

　映画のタイトルじゃあるまいし、雨が降るまでって——。

　こういう仕事をしていると、怪しい依頼は数多《あまた》舞い込んでくる。しかし、今回のはさすがに「はいそうですか」と引き受けるのは考えものだ。

「何の関係もない人間を、監視するってのはおかしいだろ。事情くらい説明してもらえないと、引き受けられない」

　真田は強い口調で言い、意識して志乃を睨《にら》んだ。

　そこから逃げるように、彼女は視線を飾り気の無い指先に向ける。

「お嬢様は、その女性に助けられたのです。そのお礼がしたいと……」

　口にしたのは長谷川だった。

「一週間ほど前のことです。お嬢様が路上で車椅子のタイヤが側溝にはまり、立ち往生しているところを、助けてくれたのが彼女だそうです」

　長谷川の話で、顔は知っているが名前は知らないという理由は分かった。だが——。

「監視するってのは、どういう了見だ？　お礼がしたいなら探すだけでいいだろ」

「実は……。その後、お嬢様の持っていた財布が紛失していたのがわかったのです」

　長谷川が、気まずいといった表情で、白髪の頭を撫《な》でた。

つまり、その少女が志乃を助けたのが、スリ目的だったのか？　それとも純粋な好意だったのか？　その真意を知りたいということらしい。

真田は隣にいる山縣に視線を向けた。

それを察した山縣は、人差し指でテーブルに小さく『L』と書いた。『Lie（噓《うそ》）』の『L』。山縣もこの話が作り話だと察したようだ。

「警察に届けないのか？」

「証拠がありません。もし、財布を紛失したのが別の場所だったとしたら、彼女の好意に泥を塗ることになってしまいます」

真田の質問に対する長谷川の答えは、はっきりとしていた。

だが、それで信用できるということにはならない。こんな怪しい依頼に首を突っ込むのは、あまり利口だとは言えない。

「残念だが……」

「分かりました。その依頼お引き受けしましょう」

真田の言葉を打ち消すように言ったのは、山縣だった。

五

彼らが帰った後も、志乃はその場所に留まっていた。

本当にこれで良かったのか？　その迷いが頭の中で渦を巻き、胸を締め付けていた。

「どうされました？」

長谷川が、志乃の顔を覗《のぞ》き込むようにして声をかけてくる。

「彼らに真実を話さなくて良かったのでしょうか？」

志乃は膝《ひざ》の上にある、自分の指先を見つめながら言った。

あの少女には死の運命が待っている。それを知らずに関わることは、彼らにとって危険なことだ。

「お気持ちは分かりますが、信じてもらうのは難しいでしょう。私も、最初は戸惑いました」

長谷川が申し訳なさそうに頭をかく。

志乃は、初めて長谷川に夢の話をした時のことを思い出した。

病院のベッドの上で、母の死の悲しみを紛らすように、長谷川に、夢で見た出来事を語って聞かせた。

無残に殺害される一家の話——。

その時、普段から感情を表に出さない長谷川の顔が、蒼《あお》ざめていくのが分かった。

なぜ、それほどまでに動揺したのか、その理由はすぐに分かった。

長谷川は、病室にあったテレビのスイッチを入れた。

暗闇《くらやみ》の中に、一軒の家が映し出されていて、その前に立ったリポーターらしき女性が、興奮気味に何かを語っていた。

——あたしが夢で見たのは、この家よ！

思わず叫んだのを覚えている。

——たった今、入った情報によりますと、被害者は警視庁防犯部警部補皆川宗一《そういち》さんと、その妻、長男の三人で、全員の死亡が確認されました。

リポーターが、興奮した口調で、一家の死亡を伝えた。

そして、死亡した家族の写真が画面の隅に並べられた。

それは、間違いなく志乃が夢で見たのと、同じ人物たちだった。

——もう少し、夢の話を詳しく聞かせてください。

長谷川は、当初の動揺を抑えた、落ち着いた口調でそう言った。

その日から、志乃は夢を見る度に長谷川に話して聞かせるようになった。

それより前から、夢はたくさん見ていた。

夢の中で見たのと、同じ風景を目にしたり、会ったことないはずの人のことを知っていたり、既視感《デジャヴ》のようなものを感じたことは何度かあった。

しかし、それはとても曖昧《あいまい》な感覚で、すぐに忘れてしまう類《たぐ》いのものだった。

ところが、あの日を境に夢の内容が一変した。

志乃の見た夢は、必ず現実になった。そして、その内容は、常に誰かの死を告げるものだった。

自分の意志に関係なく、眠りの中に忍び込んでくる死の影。

そこから逃れる術《すべ》を、未《いま》だ見つけられずにいる。

「あたしは、何も知らない彼を巻き込んでしまいました」

志乃は、膝に爪《つめ》を立てながら口にした。

「何もしなかったとしても、彼はやはり事件に飛び込んで来たと思います」

「そうでしょうか？」

「それが、彼の運命なのですよ」

志乃には、長谷川のように割り切って受け入れることはできなかった。

昨日のこと、そして、今朝見た夢。全《すべ》てが彼を指しているのは事実だ。志乃は、感覚的なものにすがることしかできない自分を呪《のろ》った。しかし、それがたとえ幻想であったとしても、その可能性に賭《か》けるしかない。窓の外に目を向ける。月桂樹《げっけいじゅ》の葉が、風に揺れていた。

もう、人が死ぬのは見たくない――。

六

「かわいい娘《こ》を前にして、鼻の下が伸びてたわよ」

真田がミニバンの後部座席に乗り込むなり、公香がニヤニヤと厭《いや》らしい笑みを浮かべながら言った。

ダッシュボードに高倍率の望遠鏡が置いてある。

「覗きに嫉妬《しっと》。いい趣味とはいえないね」

「おれが指示したんだ」

山縣が、助手席に乗り込みながら言った。

そういえば、山縣はあの部屋に入った時、カーテンを開け、窓際《まどぎわ》に立ち外の景色を眺めていた。本当に抜かりがない。

それだけに納得のいかないことがある。

「なんで依頼を受けたんだ？」

「それ、私も訊《き》きたいわ。真田じゃあるまいし、色気にやられたってわけでもないでしょ」

興味津々《きょうみしんしん》といった感じで、公香が賛同の声を上げる。

「移動しながら説明する。とにかく、車を出してくれ」

山縣は、いつもの涼しい顔のままだ。

「ＯＫ」

公香はサイドブレーキを下ろし、アクセルを踏み、車をスタートさせる。

「この少女に心当たりがある」

山縣が、画用紙に描かれた少女の絵をみながらポツリと呟《つぶや》いた。

なるほど。真田は、その一言で山縣が依頼を引き受けた理由に合点がいった。

志乃たちが何を企《たくら》んでいるかは分からないが、あの場で依頼を断れば、別の人間に依頼して終わりってことになる。

他の人間に仕事が渡り、問題が起きるくらいなら、一旦《いったん》引き受けて、その裏を探るという腹積もりなのだろう。

「その少女、どういう知り合いか訊いても構わない？」

公香が、ちらっと山縣に視線を送る。

「あまり詳しくは言えないが、前の職場で一緒だった奴《やつ》の娘だ。名前は、江里菜《えりな》」

山縣が画用紙を折り畳んでポケットにしまいながら言った。

「警察関係者の娘なら、誰かの恨みの対象になる可能性もあるってことか……」

真田の言葉には、実感がこもっていた。

「それで、この後はどうすんだ？」

少し渋ったような顔をした山縣だったが、大きく深呼吸をした後、各自の役割の説明を始めた。

「まず、公香は問題の少女の監視を頼む。彼女が通っているのは女子中学だ。男が校門前でうろうろするわけにはいかないからな」

「OK。真田。残念だったわね」

公香がウィンクしてみせる。

「うるせえ。女なら誰でもいいってわけじゃねぇんだよ。発情期の猿みたいに言うな」

「あら。違ったの？」

「少なくとも、公香には手は出さねぇよ」

「ずい分ハードルが高いじゃない。身のほど知らずのお猿さん」

公香は、スタイルもいいし、外見だけでいえば、女としての魅力を充分過ぎるほど持っている。だが、そういう問題じゃない。

「身のほど知らずはどっちだよ」

「ふざけている場合じゃないぞ。真田にも仕事はしてもらう」

負けが見えてきた口ゲンカに、タイミングよく山縣が首を突っ込んでくれた。

「分かってるよ。中西克明と志乃。それから長谷川の経歴を洗うんだろ」

真田は自信を持って答えたつもりだったが、山縣の反応は鈍かった。

「お前には、別の人間を監視してもらう」

「別の人間って誰だよ」

「中西志乃と、秘書の長谷川だよ」

山縣の口調は、さも当然だと言いたげだった。

それがまた癪《しゃく》に障《さわ》る。

「何であの二人を監視するんだよ」

「怪しいからだよ。いったい何を考えているのか、その本心を知りたい」

「監視したからって、本心が見えるとは思えないけど」

「それは実行してから判断しろ」

「はいはい。やりゃいいんでしょ」

真田は諦《あきら》めて従うことにした。

山縣がここまで言うからには、何かしらの考えがあってのことだろう。

「それで、山縣さんはどうするの？」

公香が、不意打ちするようなタイミングで言った。

「おれは、少女の父親に会いに行く……あまり気は進まんがね」

山縣は脱力して、シートにもたれた。

七

公香はコンビニの駐車場にミニバンを停車させた。

ここからなら学校の校門が見える。

監視するなら、敷地内に入ってしまった方が確実なのだが、今のご時世、たとえ女性であってもすぐに警察に通報されてしまう。

ダッシュボードにはめ込まれたデジタル時計に目をやる。午後三時。授業が終わるまでにはもう少し時間がある。

公香は膝の上でノート型パソコンを開き、電源を入れた。

山縣は中西志乃の経歴は自分で調べると言っていたが、やはり彼女のことは気になる。

パソコンが立ち上がり、ネットへの接続作業をしているところで携帯電話が鳴った。

真田からだ。

「愛《いと》しの君を覗く気分はどう？」

皮肉を込めて言ってやった。

〈まだ、事務所だよ。今から出るところだ〉

「ドキドキしてるんじゃないの？」

〈かもね〉

「あら。やっぱり彼女のこと気になるんじゃない」

公香は望遠鏡で覗いた志乃の顔を思い出す。

大人びた雰囲気ではあるが、多分、まだ十代だろう。嫉妬してしまうくらいに、綺《き》麗《れい》な子だった。

華奢《きゃしゃ》な体つきに、真っ白い肌。今にも壊れてしまいそうな儚《はかな》さがあった。

たいていの男は、あの手の女に弱い。

〈なんかからむな〉

苛立《いらだ》ちを含んだ真田の声に、はっと我に返る。

「別にからんでないわよ。それより何？」

〈頼みたいことがある〉

「頼み？　珍しいじゃない」

〈電話の通話記録を調べて欲しい〉

「誰の？」

〈もちろん、中西家だよ〉

「あら、奇遇ね。私も同じこと考えてたわ」

〈山縣さんも、身勝手な部下を抱えて大変だな〉

「真田が言うことじゃないでしょ。それより、番号は分かってるの？」

〈秘書の名刺に中西家と携帯の番号が書いてあった〉

「ちょっと待って」

公香はポケットからメモ帳とペンを取り出し、真田が言うふたつの電話番号を書きとめた。

「了解。調査依頼をかけておくわ」

電話を切った公香は、下唇を噛《か》んだ。

初めて会ったとき、真田はまだ高校生だった。

公香は、もう二十歳《はたち》を超えていて、出来の悪い弟みたいなもんだと思っていた。

それなのに、どんどん成長して、男っぽくなっていった。

普段、ふざけているクセに、いざという時に見せる真剣な眼差《まなざ》しには、ドキッとしてしまう。

公香はかぶりをふってつまらぬ考えを打ち消すと、再び監視に集中した。

ルームミラー越しに、校門から同じ制服を着た生徒たちが続々と出て来るのが見えた。

ノートパソコンを一旦助手席に移し、ハンドルにもたれるようにして、校門から出て来る少女たちの監視を始めた。

箸《はし》が転がってもおかしい年頃とはよく言ったものだ。誰もが笑顔でおしゃべりに興じている。

公香があのくらいの歳《とし》の頃は、もう犯罪に手を出していた。身体《からだ》の底までどっぷり薬に漬かり、自分が生きているのか、死んでいるのかすら分からなくなっていた。

薬を買う金を稼《かせ》ぐために、誰とでも寝た。

そんな公香を救い出してくれたのが、警察時代の山縣だった。

彼と出会ったことで、人生は大きく変わった。

更生施設での生活は苦しいものだったが、自分の意志で行動できるようになった。

自分が生きた人間であるということを実感できた。

山縣が警察を辞め、探偵になったことを知り、自分を雇ってもらえるよう交渉した。

もし、山縣に拾ってもらわなければ、あたしは今ごろ――。

「見ぃつけた」

公香は、思考を巡らせながらも、たくさんの少女たちの中から、似顔絵の少女を見つけた。

すぐに車を降り、少女の後ろ姿を追いながら、携帯電話で山縣を呼び出す。

八

柴崎は、待ち合わせ場所である新宿中央公園に足を運んだ。勤務している新宿署と、目と鼻の先にある公園だが、ほとんど足を運んだことはない。公園通りから、人工の滝がある水の広場を抜け、アスファルトの小道を進む。

やがて、金属の球体を掲げた塔が見えた。

柴崎は、その塔の脇《わき》にあるベンチに腰を下ろした。

ケヤキの木が立ち並んでいるが、この季節には既に葉を落とし始めていて、どこか侘《わび》しい感じがする。

腕時計に目をやる。少し早かったかもしれない。

昨日の事件があり、チームはまだ右往左往している最中だ。

本来であれば、そんな時に呼び出しを受けても、即座に断るところだ。

だが、山縣の言った一言が、柴崎の思惑を変えた。

――相談したいことがある。

山縣は、他人に何かを相談するような男ではない。

やがて、ゆっくりとした歩調で、こちらに向かって来る男の姿が見えた。

「呼び出してすまなかった」

山縣が、のんびりとした口調で話しかけながら、隣に座った。

「ちゃんと言ってくだされば、こんなところじゃなく、場所くらい用意しましたよ」

柴崎は、反対側のベンチで昼寝をしている学生らしき男を見ながら言った。

「それほど長い話をするつもりはない。柴崎も、時間に余裕があるわけじゃないだろ」

「まあ、そうですが……」

柴崎には、山縣がその眼に反して緊張しているようにも思えた。

「ところで、今追っているのは、どういう案件なんだ」

山縣が口元を歪《ゆが》めながら言った。

「ある、密売組織を追っています」

「北が関係してるのか？」

山縣の言葉に、一瞬ドキリとする。

なぜ、彼がそれを知っているのかは、すぐに合点がいった。今朝、岩本が真田相手に口を滑らせたのだ。

「まあ、そんなところです」

「最近、北からの密輸は多いみたいだな」

「はい。最近出回っているシャブの大半が、北のものだと言われています」

彼らは、中国やフィリピンなどとは異なる独自のルートを持ち、大規模な密輸を行っている。

「捜査は進んでいるのか？」

柴崎は肩を落とした。昨日の失敗もあり、暗礁《あんしょう》に乗り上げたといっていい。

「なかなか厳しいですね」

「お前ならなんとかするさ」

「そうしたいところですがね……。担当捜査官が五人しかいないんじゃ、話になりませんよ」

「上は、動かないのか？」

「それだけの材料がありません。もう少し、情報があれば本腰を入れざるを得ないでしょうが……」

「そうか……」

「それより相談があると言ってましたね」

昔の上司を前に、つい愚痴っぽくなってしまった。柴崎は、湿っぽい空気を払拭《ふっしょく》するように話を切り替えた。

「そうだったな。手短に話す。ある人物の素性を洗って欲しい」

山縣が、足元に視線を落とした。

想定外の言葉に、柴崎は目を丸くする。今朝、山縣と話した時には、過去との関わりを避けようという意志が感じられた。

現に、彼は、警察を辞めてから七年間、一度も姿を現さなかった。

それなのに、なぜ——。

「誰を調べるつもりですか？」

「中西克明を知ってるか？」

「さあ？」

要注意人物などであれば、名前くらいは聴いたことがあるはずだが、記憶の中に該当する人物が見当たらない。

「中西運輸という会社の社長だ」

「上場企業ですか？」

「売上の規模はデカイが、未上場のワンマン会社だ」

だとしたら、記憶にないのは当然だ。

「その社長を調べるんですか？」

「いや。彼には娘がいる。名前は志乃。彼女について知りたい」

「娘？」

柴崎は、冷静に言葉を並べつつも、頭の中にはいくつもの疑問符が飛び交っていた。

「できれば、秘書である長谷川という男も調べて欲しい」

枯葉が、ガサガサと音を立てながら足元を駆け抜けていく。

「なんのために？」

「そこは訊《き》かないでいてくれると嬉《うれ》しいんだがね」

「そういうわけには行きませんよ。人員的に余裕があるわけじゃないし、職務以外で動き回っていることが上に知られれば、問題になる。しかも、相手は民間人です」

言いながら、柴崎は自分がいつになく興奮していることに気付いた。

警察時代から、山縣は知略家として知られ、自分で無駄だと思うことは一切やらなかった。

その山縣が、調査して欲しいというからには、必ず何かある。

「こっちも、守秘義務がある。そうそう情報を漏らすわけにはいかない」

「でしたら、協力はできません」

柴崎は断固とした態度で臨《のぞ》んだ。

山縣は「そうだよな……」と呟《つぶや》きながら、空を見上げる。

走り去る車の音だけが耳に届いた。

「今朝、柴崎の娘の写真を見せてもらったよな」

しばらくの沈黙の後、山縣は立ち上がりながら口にした。

柴崎は、ベンチに座ったまま頷《うなず》いた。

「あの後、依頼を受けた。内容は、ある少女を探し、監視して欲しいというものだ」

柴崎は喉《のど》に何かが引っ掛かっているような違和感を覚え、口に溜《た》まった唾《つば》を飲み込んだ。

「それが、今回のことと、どういう関係があるんですか？」

「これが、捜索を依頼された少女だ」

山縣がポケットの中から、折り畳まれた紙を取り出し、差し出してきた。

それを広げた柴崎は、驚きで息が止まった。背中にぬるぬるとした汗が滲《にじ》んできた。

何か言おうとしても、思うように言葉が出て来ない。

「江里菜……」

なぜ、娘の似顔絵を——。

柴崎が質問をしようとしたところで、携帯電話の着信音が鳴った。

山縣は電話に出ると相手の話を聞き「分かった。そのまま継続してくれ」と指示を出し、電話を切った。

「確認が取れた。彼女は無事だ。うちの人間が監視している」

その言葉を聞き、安堵《あんど》から力が抜け、地面に崩れ落ちそうになるのを辛うじて堪《こら》えた。

相手の目的が分からない以上、江里菜を警察で保護することもできない。そんな中、山縣に監視してもらっているのは、最良の方法のように思える。

何より、自分の娘を捜索しようとしている人間の存在を、早い段階で知ることができたのは大きい。

今からいくらでも対策を立てられる。

「断ることもできたが、何を目的にしているのか分からない。他に依頼されておかしなことになるよりは、うちで担当した方がいいと判断した」

「助かります」

「今朝、写真を見せてもらわなければ確実に断っていたよ」

山縣が目尻《めじり》に皺《しわ》を寄せて笑った。

柴崎も、些細《ささい》な偶然からの幸運を神に感謝した。

山縣の言うように、今朝、写真を見せなければ、気付かぬうちに終わっていただろう。

「さっきの調査の話だが……」

山縣が話を本題に戻した。

「もちろん調べさせてもらいます」

柴崎に山縣の依頼を断る理由はなかった——。

九

「監視って言われてもねぇ……」

真田は志乃がいる邸宅《ていたく》を見上げ、呟いた。

一度、事務所に戻った後、必要機材を持ち、ガレージの奥に眠っていたドラッグスターを引っ張り出し、志乃と長谷川の行動を監視するため、再びこの場所に戻ってきた。

しかし、監視といっても、思いのほか厄介《やっかい》だ。

ここは住宅街のど真ん中。人に紛れて身を隠すこともできない。

まだ、車なら目立たぬところに路上駐車しておけばどうにかなるのだが、チョッパーハンドルのバイクじゃ目立ってしょうがない。

おまけに、顔を合わせて会話までしているわけで、面も割れちまってる。

「お！」

真田は庭にある月桂樹《げっけいじゅ》に目を留めた。

五メートルほどの高さがある。

塀を登れば乗り移れそうだ。枝ぶりはちょっと不安だが、この時期でも葉が生い茂っている。

身を隠すのにはもってこいだ。

中学生が、更衣室を覗《のぞ》くみたいで気が引けるが、この際仕方ない。

真田はリュックを背負い、身を屈《かが》めながら塀に接近する。

三メートル弱。登れないことはない。

一旦《いったん》後ろにさがり、助走をつけようとしたところで、白い車が走って来るのが視界に入った。

慌《あわ》てて電柱の陰に身を隠す。

白のレクサス。国産の最高級車だ。運転席に若い男がひとり。後部に中年の男がひとり。屋敷の前で一旦停車する。

その後、ゆっくりと鉄扉《てっぴ》の門が開き、敷地の中に入っていった。

客か？　それとも、この屋敷の主《あるじ》か？　どちらにしても、覗いて確かめればいい。

真田は壁に向かって突進し、右足を軸に、大きく伸び上がりながらジャンプする。

右手が塀の縁にかかった。身体《からだ》を捻《ひね》り、左手も引っ掛け、後は懸垂《けんすい》の要領で身体を持ち上げる。

「おりゃっ！」

かけ声とともに塀の上によじ登った。

手近な枝を、手で押しながら感触を確かめる。ダメだ。枝に全体重をかけたらポッキリ折れてしまいそうだ。

別の枝を摑《つか》みながら、慎重に足をかけ、幹にしがみつく。

枝が揺れ、ガサガサと葉を鳴らす。ハーブのようないい香《かおり》がした。

揺れが収まるのを待ってから、幹を摑んだまま身を乗り出し、葉の隙間《すきま》から建物を覗き見る。

丁度、屋敷の二階の高さ。部屋の窓の幾つかが見渡せた。

その中の一つの窓が開いていて、白いカーテンが風に揺れていた。

窓際《まどぎわ》に、古い色調のドレッサーが見える。

そこに、俯《うつむ》き加減に座っている横顔があった。

あれは——。

※　※　※

「ママ……」

志乃は、寝室のドレッサーの前にいた。

木目の写真立てに入った、今は亡《な》き母の姿を指でなぞる。

人が殺されたり、恐しい死に方をする夢を見るようになったのは、あの事故以来だ。

失ったものはあまりに大きく、残ったものは、あまりに残酷な仕打ちだった。

ママが生きていれば、こんなことにならなかったのかもしれない。

あたしが、演奏会用のドレスが欲しいなんて言わなければ、ママは死なずにすんだかもしれない。

突然、ドアが開かれ、志乃の思考は中断された。

振り返るまでもなく、誰が入って来たのかは分かった。

この家で、ノックもせずに部屋を出入りする人物は一人しかいない。父である克明だ。

一ヶ月のうちにこの家に帰ってくるのは、せいぜい二日程度。それは、ママが死ぬ前も、死んだ後も変わらない。松濤《しょうとう》の家のほうにばかり住んでいる。

仕事が忙しいのだと口癖のように言っているが、実際は自分以外の人間に愛着がないだけだ。

「少し、話がある」

克明の冷ややかで、他人行儀な声が耳にまとわりつく。

「なんでしょうか？」

志乃は背中を向けたまま答えた。

「人が話をしている時は、顔を見ろ」

克明が語気を強める。

自分以外の者を、人と認めないような男が言う台詞《せりふ》ではない。

志乃は怒りを胸の奥に押し込み、ハンドリムを操作し、車椅子《くるまいす》を回転させて、克明と正対した。

頭上から、克明の蔑《さげす》むような視線が降ってくる。

こんな時、立ち上がることができれば——と強く思う。

「話とはなんですか？」

「長谷川から聞いた。また、妄想にとり憑《つ》かれているのか……」

克明が、冷淡な口調で言った。

この人は、未《いま》だに娘の言うことを信じていない。志乃は下唇をきつく噛《か》んだ。

「妄想ではありません。人が死ぬと知っていながら何もしないことは罪です」

「たとえ、真実だとしても、自分で歩くことすらできぬお前に何ができる」

胸に針を刺されたような痛みが走った。

他人に陰口を言われるのは慣れている。だが、まさか肉親に、しかも面と向かって——。

「……よく平気でそんなことが言えますね」

「事実だ。だいたい、他人が死のうが、生きようがお前には関係のないことだろ。悪い夢だと思って放っておけばいい」

克明の声は、怒気を孕《はら》んでいた。

志乃は、ひざ掛けを強く握った。

そうやって、ママが死んだ時も、自分ではないから関係ないと切り捨てたのか？

沢山の物を切り捨てて築いたうす汚れた地位。

「出て行ってください」

「父親に対して、その口のききかたはなんだ」

「あなたを父だと思ったことなど、一度もありません！」

志乃は、自分の発した言葉に驚いた。そこまで言うつもりはなかった。

「誰のお陰で自由に振る舞えると思ってるんだ？」

「おじい様のお陰です」

「……」

顔を見ずとも、プライドを傷つけられた克明の顔が、茹《ゆで》ダコのように真っ赤に紅潮していることが分かった。

親子の間でプライドなど――。

ママもおじい様も亡き今、実際どうだったかは分からない。

しかし、志乃は、克明が母のことを愛してはいなかったと思っている。

この人は、もともと中西運輸の一介の営業マンだった。それが、ママと結婚することで、会社のトップに上り詰めた。

結局は、地位とお金欲しさにママに近付いたに違いない。

「あなたが欲しかったのは、おじい様の会社でしょ」

志乃が言い終わるのと同時に、克明の右手が頬に振り下ろされた。

肉のぶつかり合う、湿った音が室内に響いた。

左の頬に、じんじんと熱を持った痛みが広がったが、志乃はそれを手で押さえることはしなかった。

表情を変えず、無言のまま真《ま》っ直《す》ぐに克明を見返す。

あなたは、娘の態度を叱責《しっせき》したのですか？　それとも己のプライドを傷つけられたことに対する怒りをぶつけたのですか？

克明は、表情を歪《ゆが》めて視線を逸《そ》らした。

やはり、この人はこういう人間だったか。志乃の中に、落胆が広がっていく。

「もういい。好きにしろ」

克明はさっきまでとは別人のように小さな声で言うと、背中を向け部屋を出て行った。

志乃は、大きく息を吐き出し、窓の外をじっと見つめた。

この時期でも、青々と葉をつける月桂樹が見えた。

まだ、足が動いた頃は、よくあの木に登ってママに叱《しか》られた。「枝が折れたらどうするの」。ママのその叱責には、深い愛情が込められていた。

ふと、誰かの視線を感じた。

「誰……」

木の茂みの中に人がいる。目が合った。

茂みの中の人物が動いた。

次の瞬間、その人物は足を滑らせ引力に従って木から落下していった——。

十

「柴崎さん」

柴崎が自席に戻るなり、岩本が興奮気味に駆け寄って来た。

「どうした」

「田中の自宅を捜索していたのですが、面白いものが出てきました」

岩本は鼻息荒く言いながら、プリントアウトされた資料を差し出して来た。

「面白いもの？」

資料を受け取り、目を通す。

それは、日本海を示した海図だった。日本の排他的経済水域である二百海里を過ぎたあたりに、赤い丸印が付いていた。

二枚目は、丸印を中心に拡大された海図。さらに、印の横に日時が記載されている。

三枚目は、漁船と思われる小型船舶の写真。

錆《さ》びついた船体に「旭丸《あさひまる》」という文字が見て取れる。

「田中が自宅で使用していたパソコンのデータの中に紛れていました」

田中が死んだことで、情報の入手は諦《あきら》めかけていたのだが、パソコンにデータが残っていたというのは幸運だった。

「おそらく、取引の日時を示したものだと思われます。現在、旭丸の所有者の所在を確認中です。おそらく北の息がかかっているかと……」

「船籍港は？」

「新潟です」

「方法は？」

「海図に示された場所に、船から投棄し、それを日本側からの漁船が回収するという方法だと思われます」

以前、北の国家は、その方法で麻薬の密輸を行っていた。しかし、その方法だと、時化《しけ》に見舞われた時、回収できない可能性が高い。

現に、誤まって見当違いの浜辺に麻薬の入ったケースが打ち上げられたこともある。

「まだ、その方法を使っていたとは思えんが……」

「次を見てください」

柴崎の質問は、岩本の想定内だったようだ。

用紙をめくると、小型のＧＰＳ発信機の取扱説明書になっていた。

時化にあったとしても、ＧＰＳで追跡して回収できるようにしたというわけか。確かに、これであれば以前より効率的に回収できる。

だが、大きな問題が残る。田中が死亡し、警察がその身辺を洗っていることは、向こうだって承知しているはずだ。

そんな中で、取引を強行するだろうか？

多分、実行はしない。トカゲの尻尾《しっぽ》切りみたいに、末端だけ切り捨てて終わりだ。

この漁船の持ち主は、ただの運び屋に過ぎず、死んだ田中もただのメッセンジャーだ。

逃げている連中だって、販売担当に過ぎない。

今回のことは、一つのルートを潰《つぶ》しただけ。

この国の中に、もっと他の大規模なルートで、北の国家からの麻薬密輸入を手引きしている人間がいる。

多分、北出身の人間。

そうやって、経済状況の苦しい本国に、汚れた金を送り続けている。

「できれば、向こうに存在を気付かれずに情報だけ手に入れたかった……」

今さら悔しさが込み上げ、思わず口にした。

「そうですね。ですから、せめてこいつらだけでも押さえましょう」

岩本はぐっと拳《こぶし》を握り締めながら言った。

確かにその通りだ。悔やんでいても仕方ない。尻尾切りだと分かっていても、やらなければならない。

これを報告書にまとめて提出。その後は、会議に引っぱり回されることになるだろう。事件が終わるまでは、とても自由に動ける時間などない。

かといって山縣からの依頼を放置することもできない。

公私混同かもしれないが、江里菜の命に関わることだ。

「岩本。お前に調べて欲しいことがある」

柴崎は、迷いながらも口にした。

「なんでしょう」

「中西克明を知っているか？」

「いいえ」

「中西運輸の社長だ」

「はあ」

岩本は怪訝《けげん》な表情を浮かべる。ちょっと前には、自分も同じような顔をしていたことだろう。

「彼の娘、志乃。そして中西の秘書だが、屋敷に住み込みで、娘の執事のような役回りの長谷川功という男の経歴を洗って欲しい」

「どういうことです？」

岩本は納得いかないという風に首を傾《かし》げた。

まさか、娘に関わることで、探偵に頼まれたなどという説明はできない。

あくまで職務と結び付ける必要がある。

「まだ、おれの推測の段階でしかない。だから、なぜ調べる必要があるのか詳しくは話せない。見当違いの可能性もある」

「事件にかかわりがあると？」

「そうとは言ってない。ただ、気になることがある。調査結果を含めて結論を出すつもりだ」

自分でも曖昧《あいまい》な説明だと思う。しかし、何も起こらなかった時「おれの勘違いだったようだ」と逃げられる状況を作っておきたかった。

「分かりました」

岩本は、しばらく思案していたようだが、同意の返事をした。

「すまない。できれば急ぎで頼む」

「明日の朝までには用意しておきます」

力強く言い、部屋を出て行こうとする岩本を呼び止めた。

「分かっていると思うが、くれぐれも内密に頼む」

柴崎の言葉に、岩本は頷《うなず》いてから小走りで出て行った。

一応、公安にも照合をかけておくか――。

何も出てこなければそれでいい。そうなることを願って、柴崎は煙草《たばこ》に火を点けた。

十一

こんな間抜けな話はない。

真田は、数時間前に通された中西家の応接室に、舞い戻っていた。

監視しているのがバレるだけならまだしも、木から落下し、脳震盪《のうしんとう》を起こして倒れているところを介抱されるという情けなさだ。

「まさか、真田さんだったとは……」

真田と向かい合うソファーに座った長谷川が、微笑《ほほえ》みながら言った。

四十代の小柄な女が、ティーカップを載せたトレーを運びながら入って来た。

彼女は、無言のまま青い花柄の描かれたティーカップをテーブルに置き、一礼して部屋を出て行く。

「今のは？」

「この家の家事と、志乃様のヘルパーをやってくれている坂井です」

長谷川が、簡潔に説明する。

「彼女も住み込みなのか？」

「そうです」

「他にも、いるのか？」

「いいえ。彼女だけです」

「なるほど」

この屋敷の人員構成を正確に把握しただけでも、木からの落下は無駄じゃなかったってことにしよう。

「それより、大丈夫ですか？」

長谷川が、話題を摩《す》り替えた。

「身体《からだ》だけは頑丈なんだ」

強がってみたが、落ちたのが芝生の上で良かったと思う。

もう少し位置がずれていれば、コンクリートに頭を打つところだった。そうなれば良くて一週間の入院コース、下手すればお陀仏《だぶつ》だ。

不幸中の幸いってやつだ。

「健康であることは何よりです」

真田の頭に、志乃の姿が浮かんだ。

「彼女は、いつから車椅子《くるまいす》に？」

「七年前です。母上と買い物に出かけた際に、事故に遭われまして……」

目を伏せた長谷川の口調は、歯切れが悪かった。

「脊椎《せきつい》をやられたのか」

「いえ、両足の複雑骨折です」

「完治しないのか？」

「主治医の話では、もう足自体は治っているようです」

「じゃあ……」

「ＰＴＳＤ」

「心的外傷後ストレス障害……。精神的なものってことか？」

「はい。珍しい症例ではありますが、ＰＴＳＤから、身体の一部が麻痺《まひ》するということがあるようです」

——それが、志乃の哀《かな》しげな目の正体。

「学校は？」

「専属の家庭教師を雇い、高校卒業の資格まではとりました」

「じゃあ、恋人はおろか、友だちもいないわけ？」

「ええ。お嬢様は、他の人より、多くのものを背負ってしまいましたから」

同情に満ちた長谷川の口調が、真田の神経を逆撫《さかな》でする。

金持ちはいい。精神的なショックを受け、かわいそうだからと秘書に面倒を見てもらいながら塞《ふさ》ぎこんでいることができる。

だが、一般的な人間のほとんどが、どんなにショックを受けようが、専属の家庭教師を雇うような経済的な余裕がないから、自分で学校に行かなければならない。

秘書もいないから、一人で動かざるを得ない。

理由があるとはいえ、やっていることはニートと同じだ。

「気楽なもんだな」

「そういう言い方は止《や》めて頂きたい」

真田が思わず口にした言葉に、長谷川が敏感に反応した。

普段、大人しい人間が、こういう鋭い目つきをする時は、素直に退いた方が身のためだ。

「悪かった。口が滑っただけだ。それより、さっき彼女の部屋にいたのは父親か？」

ばつが悪くなった真田は、話題を切り替えた。

「はい」

「普段から、ああなのか？」

「といいますと？」

長谷川が首を傾げる。

「娘に手を上げていた」

できるだけさらりと言ったつもりだった。しかし、長谷川は、うんざりだという風に首を左右に振った。

「二人は、折り合いが悪いのです。特に、あの事故以来はほとんど口をききません」

ただ、ウマが合わないだけで、あれほど険悪になるだろうか？

「本当にそれだけか？」

真田の言葉に、長谷川は「ええ」と小さく頷いた。

「ところで、真田さんは、あんなところで何をされていたのですか？」

長谷川が、探るような目つきで、話題をふってきた。

まあ、当然そういうことになるだろう。

「確認し忘れたことがあったんだ」

「正面からいらして頂ければ、すぐにでも対応しましたものを」

痛いところを突かれた。

おそらく、この有能な秘書は、自分たちが監視されていたことに気付いているのだろう。

これ以上、腹の探り合いをしていても仕方ない。

「なぜ、あんたたちが少女を監視するのか？　その理由を教えてもらいたい」

「ですから、それはお話しした通り……」

「そんな言い訳が通用すると本気で思ってるのか？　おれが知りたいのは、本当の理由だ」

真田は長谷川の言葉を遮った。

さあ、どう出る？

真田は余裕を見せるために、ティーカップの紅茶をゆっくりと口の中に流し込んだ。

長谷川は何も答えない。口を固く結び、どうすべきか考えているといった様子だ。

「嘘《うそ》ではありません。私どもは、本当のことをお話ししています」

「助けてくれた少女が、スリだったかもしれない。そんなバカげた話を本気で信用するわけないだろ」

「真実です」

「なら言わせてもらおう。彼女は家に籠《こも》っているんじゃなかったのか？　外出したとしても、あんたが四六時中付き添っている。それなのに、彼女が一人で買い物に出たようなことを言う」

「……」

「それに、スリってのは、それなりに技術が必要なんだ。恐喝《きょうかつ》ならまだしも、私立の女子中学校に通う女の子が、そんなことできると思うか？」

真田は、意識的に語気を強め、まくし立てる。

しばらくの沈黙があった——。

「分かりました。真実をお話しします」

聞こえてきたのは、長谷川の声ではなかった。

いつの間にか、ドア口のところに、志乃の姿があった。

彼女は、車椅子を器用に操作しながら、真田の正面まで移動してくる。

左の頬がかすかに赤く染まっていた。目も少し腫《は》れぼったい。泣いたのかもしれない。

「本当に、よろしいのですか？」

長谷川が立ち上がり、志乃に耳打ちする。

それに対して、志乃は力強く頷いた。決意の強さがこちらまで伝わってくる。

長谷川は諦《あきら》めたようにふっと肩の力を抜いた。

「一緒に来ていただけますか？」

「何処《どこ》へなりとも、お供させていただきましょう」

さあ、何が出てくるやら。

真田は踊り出す好奇心を抑え、立ち上がった。

十二

公香は、監視対象の少女、江里菜の背中を追いかけ歩いていた。

意識的に歩調を緩めなければ、友だちとの楽しいお喋《しゃべ》りに興じている彼女に追いついてしまいそうだ。

ほんの十分ほど尾行しただけで、直接言葉を交わしたわけではないが、彼女がスリかもしれないという話は、とても信じられなかった。

漏れ聞こえてくる友だちとの会話の内容は他愛《たわい》のないものだった。

――昨日のスマスマ見た？

――だよねぇ。ちょー格好いぃ！

――あ、それ知ってる。

――いい曲だよね。

こういったら語弊《ごへい》があるかもしれないが、どちらかというと、地味で垢抜《あか》けない感じの子だ。

近年、恐喝や援助交際など、犯罪に手を染める中学生が増えてきたということは耳にする。しかし、彼女は、そういう類《たぐ》いの人間ではないように思う。

先入観はいけないとは思うが、やっぱり、あの依頼はおかしい。

そう思っているうちに、江里菜は友人たちと別れ、道路から公園に入っていく。近道なのだろう。

トイレと公園を囲む植え込み以外は何もない場所だ。遊具の事故が相次いだせいで、区当局が、管理責任や、製造責任を問われることを恐れ、いたるところで撤去されていると聞いたが、どうやら本当だったようだ。

こう視界が開けていると、尾行し難《にく》い。公香は歩調を緩め、江里菜との距離をとることにした。

不意に、公香の耳に何かが聞こえた。

ピピッとデジカメのシャッターを切るような電子音――。

周囲を見回す。

ガサッ。

公園の公衆トイレの脇《わき》にある植え込みが、微《かす》かに揺れた。

心臓が、トクンと音をたてて大きく脈打つ。

嫌な予感がする——。

公香は、自然と歩調を早め、一度とった江里菜との距離を、再び詰める。

次の瞬間、視界の隅に、公園から走り去って行く人影が映った。

中年の男だ。

あの男を追いかけるか？　それとも、このまま彼女を尾行するか？　一瞬の迷いがあり立ち止まった。

そのわずかな間に、男は交差点を曲がり、見えなくなった。

「ああ。もう……」

公香は苛立《いらだ》ちから地団太《じだんだ》を踏みつつも、江里菜の尾行を再開した。

十三

「それで、どこに行くんだ？」

真田の質問に、志乃も長谷川も答えなかった。

応接室を出て、真《ま》っ直《す》ぐに延びる長い廊下を、奥に進んで行く。

「ここです」

突き当たったところで、志乃が言った。

長谷川が、ドアを開け「どうぞ」と真田を招き入れる。

他の部屋と違い、殺風景な場所だった。部屋の中央に古い木製のテーブルがあり、それを囲むようにキャビネットが並んでいる。

部屋全体が陰湿で、同じ建物の続きであることを忘れてしまいそうだ。

「ここは？」

「作業部屋のようなものです」

答えたのは長谷川だった。

「へえ」

真田は、部屋の中を見回しながら、近くにあった椅子に腰を下ろした。

志乃はキャビネットの前までいくと、その中の一つを開け、中からスクラップブックを数冊取り出し、テーブルの上に置いた。

「ご覧になってください」

「おれも、こういうのやった覚えがある。お気に入りのアイドルがいてさ」

軽い口調で言ってみたが、志乃は怒りもしなければ、笑いもしなかった。

なんだか、調子狂うな。真田は渡されたスクラップブックを引き寄せ、パラパラッとページをめくる。

新聞の切り抜きがびっしりと貼《は》ってあり、その中に、鉛筆で描かれた似顔絵が挟んである。

山梨県の山中で、三十代から四十代とみられる男性の遺体が――。

腹や背中、数十カ所を刺され、死んでいる男を発見し――。

世田谷区の民家から、焼死体が発見され――。

「これ、全部死亡記事か……」

「そうです」

真田の言葉に、志乃は長い睫毛《まつげ》を伏せた。

他人の死亡記事だけをスクラップするなんて、あまりいい趣味とはいえない。世の中には、死体愛好者ってのがいるらしいが、彼女もそのクチか？

「この似顔絵はなんだ？」

「死んだ人たちです」

不気味なことを言う。

真田は、ランダムに開いたページに挟んである似顔絵と、新聞の切り抜きに掲載《けいさい》されている写真を見比べてみる。

すぐにそれと分かるくらいに、完成度が高い。あの少女の似顔絵と同じだ。

「なぜ、こんなことをする？」

真田の質問に、志乃は喘《あえ》ぐように天井を見上げた。

「あたしは、その人たちが死ぬことを知っていたんです」

「なんだって？」

言葉が聞き取れなかったわけではない。その意味が理解できなかった。

死ぬことを知っていただって？

とてもじゃないが、言葉通りに受け止めることはできない。

「時々、夢を見るんです」

「夢？」

「はい。あたしの場合、その夢はフロイトの言うように、願望の発露ではなく、人の死です。あたしの夢に出てくる人は、必ず現実の中で死ぬんです」

志乃は、一度言葉を切り、反応を確かめるように真田に視線を向けた。

なんだか話がおかしな方向に転がり始めた。

本来なら信じられないと一笑に付す話なのだが、志乃の訴えるような視線がそうさせなかった。

「未来を予知するとか、そういう話か？」

真田は、ようやくそれだけ搾《しぼ》り出した。

「未来……。あたしの夢は、もっと限定されています」

「条件があるってことか？」

「はい。あたしが見るのは、全《すべ》て人の死です。他のことは何も分かりません。ただ、死ぬ間《ま》際《ぎわ》の光景が、映像となって頭の中に浮かぶんです」

真田は信じられない思いから、背後にいる長谷川を見た。

「嘘ではありません。私は、お嬢様の夢をずっと聞き続けてきました。後になって聞かされたのであれば、妄想《もうそう》だということも言えるでしょうが、お嬢様の場合は違います。似顔絵を描き、その人物がどういう状況で死ぬのかを事前に聞かされています」

担《かつ》ごうとしているようにも見えない。その目は真剣そのものだ。

「最初に見たのは、母が死んだ日の夜のことでした」

言いながら、志乃が二〇〇〇年と書かれたスクラップブックを指差した。

真田はそのスクラップブックを引き寄せ、一ページ目を開く。

〈ナンバー1〉

『警察官一家惨殺《ざんさつ》！』という見出しが目に飛び込んで来た。

この記事は、真田も知っている。警察官である皆川宗一の家に、何者かが押し入り、宗一とその妻、そして長男を射殺したというものだ。

ニュースでも繰り返し放送されていた。

犯人は未《いま》だに逮捕されていない。

「夢の中では、あたしは一家が射殺されるのを、ただじっと見ているだけでした。その時、殺された少年は、勇敢にも金属バットを持って暴漢に飛び掛かっていきました……」

志乃は、苦しそうに眉間《みけん》に皺《しわ》を寄せ、胸を押さえながらも続ける。

「『ダメ！　逃げて！』と叫んだのですが、その声は届きませんでした……」

潤《うる》んだ彼女の瞳《ひとみ》から、涙が零《こぼ》れ落ちた。

なぜ泣く――。

この一家は、お前とは何の関係もないだろ。

そうやって、自らが予見し、死んでいった者たちに感情移入し、悲しみを抱えていたのか?

真田は、胸の内に湧《わ》き上がる思いを飲み込み、改めてテーブルの上に目を向けた。置かれているスクラップブックは、全部で三冊。一冊あたり二十枚だから、これだけでも単純計算で六十件の死を見てきたことになる。

「お嬢様は、夢から覚める度に、見知らぬ人たちの、死の運命を変えようと、いろいろと手を尽くしてきました」

涙で言葉の出なくなった志乃の後を、長谷川が引き継いだ。

「しかし、殺される場所の映像と、その人間の顔しか分からないという状況では、殺される人物を探し出すまでの間に時間切れになってしまう。そんなことの繰り返しでした」

夢で死を予見してから、それが現実になるまでに、どれくらいの猶予《ゆうよ》があるのか分からないが、確かに顔と場所の映像だけしか分からないのでは、人物や場所の特定には相当な時間を有するだろう。

仮に、見つけられたとしても、どうやって説明する?「あなたは今から死にます」と言ってどれほどの人間が信じるか——。

「確率は、どれくらいなんだ?」

「百パーセントです」

長谷川が断言した。

「あたしが夢など見なければ、誰も死ななかった……」

志乃は、唇をわななと震わせながら言った。

彼女は、自らが誰かの死の未来を予見しているのではなく、自分が夢を見たせいで、人を死に追いやっていると考えているようだ。

「バカげてる」

真田は思わず口にした。

顔を見ずとも、背後で長谷川が怒りに震えているのが分かった。

「どうして、そんなことが平気で言えるんですか?」

志乃は、涙で顔をぐしゃぐしゃにして、前のめりになりながら訴えた。

「……」

「あなたも、自分には関係ないと切り捨てる人なんですか?　どうして!　どうして、そんなことが平気で言えるの!」

言い終わるのと同時に、志乃は腰を折って激しく嗚咽《おえつ》する。

彼女の叫びは、真田の心を大きく揺さぶった。

これが、彼女の哀《かな》しい目の正体。

無関係の人間の死を、全て自分の責任だと思い込み、七年の長きにわたり、痛みを抱えたまま生きてきた。

真田は立ち上がり、ゆっくりと志乃の前に歩み出ると、彼女の細く、白い指を握った。

「違うんだ。そういうことじゃない」

「でも……」

「あんたが夢を見たくらいで人は死なない。だから、自分の責任だなんてバカげたことを考えるのは止《や》めろ」

「え？」

「おれがバカげてると言ったのは、そういう意味だ。勘違いするな」

「信じて、いただけるのですか？」

志乃が顔を上げ、真田の手を強く握りかえした。

「幾つか質問させてくれ。昨日、あんたたちが交差点の前にいたのは、田中が死ぬことを知ってたからだったんだな」

志乃が頷《うなず》いた。

「それから、監視を依頼してきた少女。彼女が死ぬのも夢で見た。そういうことだな」

志乃がもう一度頷く。

「なぜ、おれたちに依頼を持ち込んだ？」

真田は、一番引っ掛かっていた質問を口にした。

志乃が、大きく息を吸い込み、真っ直ぐに前を見る。涙で潤んではいるものの、力強いものだった。

「昨日の事故。あたしの夢では、近くにいた女の子も巻き込まれて、死ぬはずだったんです……」

「なのに、あの少女は生き残った」

「そうです。初めて、運命が変わったんです」

「それが、おれのせいだってことか？」

「夢の中に、あなたは出て来なかった——。運命が変わった理由として、考えられるのはそれしかなかったんです」

「それで、今回もうまくいくかもしれないってわけだ」

真田は吐き出すように言うと、脱力して椅子《いす》にもたれた。

志乃は、俯《うつむ》き、唇を噛《か》んでいる。

彼女が抱えている心の闇《やみ》は、母を失ったことや、父親との関係がうまくいかないから、という程度のものじゃなかったわけだ。

人の死を予見できる――。

まったく。笑わせてくれる。おれだって、七年前のことが無ければ、頭のおかしい奴《やつ》だと思って逃げ出してるとこだ。

「あんたたちは、二つ大きな勘違いをしている」

真田は、そう宣言して立ち上がった。

志乃が、微《かす》かに口を開き、戸惑いの表情を浮かべる。

「まず、一つ目」

真田は右手の人差し指を立てながら、左手で被《かぶ》っていたニット帽を脱いだ。

志乃の目が、大きく見開かれた。

十四

「それは……」

志乃は驚きの声を上げた。

帽子を取った真田の額の右側には、大きな傷があった。

眉尻《まゆじり》から、耳の後ろまで真《ま》っ直《す》ぐに、一センチほどの幅で、肉が抉《えぐ》れたようになっている。

「見ての通り古傷だよ。目立つから帽子で隠してる」

真田は口の端を吊《つ》り上げ、人懐《ひとなつ》っこい笑みを浮かべた。

「そうなんですか……」

「あんたはさっき、死の運命が変わったのが初めてだと言っていたが、それは間違いだ」

「間違い？」

真田の言葉の意味が分からず、志乃は怯《おび》えた口調で訊《き》いた。

「あんたが見たっていう七年前の警察官一家射殺事件。あれは、うちの家族だ」

真田の告白を聞き、息が止まった。

初めて、あの交差点で顔を合わせた時、どこかで見たことがあると感じていた。

それは、間違いではなかった。

彼が、あの少年だったなんて——。

長谷川が、テーブルの上のスクラップブックを引き寄せ、一番最初のページを食い入るように見ている。

「でも、夢では確かに……」

志乃は、震える声で言った。

「それが、二つ目の勘違いだ。あの日、おれは無謀にも金属バット一本で家に侵入した暴漢に立ち向かって行った。銃口が向けられた時、耳元で声を聞いたんだ。『ダメ！　逃げて！』ってな」

声を聞いた？　もしかして、その声は——あたしが心の中で叫んだ声だったの？

混乱する志乃を他所《よそ》に、真田はさらに話を続ける。

「その声に反応して、おれは立ち止まった。その瞬間、頭に衝撃があった。目の前が真っ暗になって、気がついたら病院のベッドの上だった。あと、数ミリ場所がズレていたら、おれは脳みそをぶちまけていたそうだ」

話を終えた真田は、片方の頬を吊り上げ、ガリガリと髪をかき回した。

いろいろな衝撃が志乃の頭の中を駆け巡り、何も考えることができなかった。

志乃は、頬に熱いものが伝うのを感じた。

それは、再び溢《あふ》れ出した涙。なぜ泣いているのか？　自分でも分からなかった。

ただ、今まで絶望の中で生きていると思い込んでいた、暗く重い心の中に、一筋の光が差したように思えた。

「あなたのお話を疑うわけではないのですが、新聞記事には、現場にいた少年も死亡したと書かれています」

口を挟んだのは長谷川だった。

志乃は指先で涙を拭《ぬぐ》い、改めて真田に視線を向けた。

彼が嘘《うそ》を言っているとは思えないが、長谷川の言う疑問が残るのも確かだ。

「簡単な話だ。戸籍上、死んだことにした。おれの身の安全を考えてね。アメリカの証人保護プログラムみたいなもんだ」

「しかし、日本にその制度はないはずです」

長谷川がスクラップブックをテーブルの上に置きながら言った。

「もちろん国がやってくれたわけじゃねぇ。あるおっさんの独断だ」

「独断？」

「そうだ。当時、警察官だったそのおっさんは、監察医とグルになって、おれの死体検案書を書かせた。そのあと、おれを孤児院にいたことにして、その真田という名の監察医と、養子縁組させたってわけだ」

真田は、テーブルの上に尻を乗せ、脱力したように肩を落とした。

「しかし、養子縁組するためには、戸籍が必要になるのではないですか？」

長谷川の疑問は、もっともだ。

「まず、養護施設の書類を偽造して、おれが〇歳児《ゼロ》の時に捨てられていたってことにする。捨て子は、保護した地域の自治体の市町村長が命名して、戸籍を発行する決まりになってる」

真田は、立ち上がり、話を続ける。

「区長が戸籍の発行を許可した書類を偽造して、自治体があやまって登録を忘れたってことにしたんだよ」

「そんなことがまかり通るのですか？」

長谷川が、分からないという風に首を傾《かし》げる。

「その辺は、詳しく訊いてねぇけど、自治体とはいえ、管理しているのは、所詮《しょせん》は人間だ。担当者を丸め込めば、どうにでもなるさ。現に、社会保険庁の職員が、納付者を未納扱いにして、偽《にせ》の領収書を発行して、横領してたなんて事件もあっただろ」

真田は、腕組みをして、ふうっと大きく息を吐き出した。

しばらく、沈黙が流れる。

志乃の中で、真田に対する印象が大きく変わりつつあった。

彼は、軽い口調と笑顔の裏に、とんでもない闇を抱えていた。それで、なお自分の足でしっかりと立っている。

彼には、あたしにはない強さがある。

「そうですか。大変な思いをされたのですね」

長谷川が一言一言噛み締めるような口調で言った。

「そうでもねぇよ。そんなことより、話を戻そう」

真田はかぶりを振って、立ち上がると、音をたてて鼻をすすってから話を再開した。

「さっきまでの話の流れからして、あんたは、夢でおれたちが監視している少女が死ぬのを見た。そういうことだな」

「そうです」

志乃は、大きく頷いた。

「そんで、彼女が死ぬのは雨の降る日ってわけだ」

「おそらくは」

「ということは、おれたちへの本当の依頼内容は、彼女が死ぬのを止めて欲しい。そういうことだな」

「はい……」

真田は「ううん」と唸《うな》り、思案するように指を顎《あご》の先に当てた。

「もう一つ、あんたに訊きたいことがある」

志乃は、真田の顔を見上げた。

「……」

「仮に、今回その少女の命が助かったとして、その先はどうするつもりだ？」

「先？　ですか？」

真田の言葉の真意が汲《く》み取れず、志乃は首を捻《ひね》った。

「そう、先のこと。つまり、あんたが夢で人の死を予見することは分かった。だが、それはまったくの他人だ。それを助けるために、あんたは今後も自分の人生を犠牲にしながら生きていくのか？」

――先のこと？

考えたこともなかった。

「分かりません。ですが、死ぬのを知っていながら、黙って見ているだけなんて、あたしには耐えられません」

「それだけの理由か？」

「ええ。他に理由が必要ですか？」

「あんたが挑もうとしているのは、人の運命だ。勝てると思うか？」

「分かりません……だけど、何もしないよりはずっといい」

「あんた、幸せになれないタイプだな」

真田は吹き出し笑いをしながら言った。

いくら笑われても、あたしには他に選択肢がない。

真田に全《すべ》てを話したことで、志乃は少しだけ気持ちが楽になった。

「依頼、引き受けて頂けますか？」

志乃は、改めて口を開いた。

「いいだろう。おれが、あんたの予見した死の運命を変えてやるよ」

真田は声高らかに宣言した。

彼なら、本当に運命を変えてしまうかもしれない。

志乃は、そんな希望を見出《みいだ》していた。

十五

「何？ あんたはそれでノコノコ引き受けて来たわけ？」

真田は、公香のヒステリックな叫び声にウンザリしながら耳を塞《ふさ》いだ。

事務所で公香、山縣と合流した真田は、事務所の隅にあるパーティションで区切られた応接スペースで、ことの経緯を包み隠さず説明した。

その結果の第一声がこれだ。

怒りたくなる気持ちは分からんでもないが、もう少し大人の対応をして欲しいもんだ。

「そうカリカリするな」

山縣が、借りて来たスクラップブックに目を通しながら、呑気《のんき》な口調で言う。

「こんなバカげた話、冷静に聞けるわけないでしょ！ だいたい、真田はその……なんだっけ……」

「夢で人の死を予見する」

「そう、それ。本気で信じたわけ？ 超能力者なんて、イカサマに決まってるの！ あんた、担《かつ》がれてんのよ！」

公香は、言い終わると、全力で走ってきたみたいに肩で大きく息をした。

「でも、真田はあの時、聞いたわけだろ。彼女の声を」

「ああ。証拠を出せって言われると困るけど」

真田は、山縣の出した助け舟に便乗した。

「でもさ、それだって作り話の可能性があるわけでしょ。真田の素性を調べて、信用しそうなエピソードをでっちあげた」

「残念ながら、あの日、真田が死んでいないことを知っているのは、おれと公香と真田本人。それに、里親になってくれた監察医の真田さんだけだ。公香、お前、彼女に口を滑らせたか？」

山縣が、冷静に言葉を並べる。

それを言われると、さすがの公香も言葉に詰まってしまう。たいしたおっさんだ。スタッフの扱いは心得ている。

「とにかくだ。仮に、彼女の言っていることが本当だとして話を進めようじゃないか」

仕切りなおしをするように、山縣が立ち上がって口を開いた。

「それ賛成」

真田は手を上げながら答える。

公香は、しばらく頬に空気を詰め込んで、視線を逸《そ》らせていたが、やがて「あたしは、まだ信じたわけじゃないからね」と前置きをしたうえで賛同の意思表示をした。

「対象者の少女は、次に雨が降った日に死ぬかもしれない。つまりそういうことだな」

「そうなるね」

「一つ聞きたいんだが、彼女が死を予見してから、実際に死ぬまでにはどれくらいの猶予《ゆうよ》があるんだ？」

「十時間から七十二時間くらいだって言ってた」

真田は、志乃と長谷川から聞き出した情報を頭の中で反芻《はんすう》しながら答えた。

「なるほど。公香。今日と明日の降水確率は？」

「ちょっと待って」

山縣の問いに、公香はすぐに反応し、パソコンのキーボードを叩《たた》き始めた。

「えっと……。今日は〇《ゼロ》パーセント。明日も、午前、午後、両方とも二十パーセント。

そんで……あら。午後六時以降が八十パーセントだわ」

「ということは、明日、彼女が死ぬ可能性が濃厚《のうこう》だな」

「明日ねえ……」

あまり時間が無さそうだ。運命を変えるなんて大それたことを言ってはみたものの、どう動けばいいのか、まるで見当がつかない。

「彼女は、他に何か手がかりになるようなことを言っていなかったか？　水の中で死んでるってだけじゃ、ちょっとな」

山縣の疑問はもっともだ。

真田は、改めて志乃の話した内容を思い起こす。

「少女は、顔に痣《あざ》のようなものを作っていたって。それと、スーツを着た二人組の男が一緒にいたって。顔は、はっきりと確認できなかったらしいけど」

「状況から考えて、事故ではなさそうだな」

「多分ね」

「一人でノコノコ行くってのも考え難《にく》いから、学校帰りとかに、拉致《らち》されるって可能性が高いな」

真田は頷《うなず》いた。

おそらく山縣の推測は当たっているだろう。

彼女は女子中学に通っているわけで、学校の敷地内に二人組の怪しい男がいたら、即通報されちまう。

登校中、もしくは、帰宅途中に一人になるのを待って拉致すると考えるのが妥当だ。

「だったら、簡単な話じゃない。明日、その娘をうちの車で家に送り届けるの」

公香が口を挟んだ。

それが一番確実な方法かもしれないが、大きな問題がある。

「どうやってうちの車に乗せるんだ？　あなたは命を狙《ねら》われていますって言うか？」

真田が言うのと同時に、公香が物凄《ものすご》い形相で睨《にら》んできた。

いつもなら軽く返してくれるところなのだが、依頼を引き受けてきたことに、思いのほか腹を立てているようだ。

「だったら、どうするわけ？」

公香がテーブルを右手中指の爪《つめ》でコツコツと叩きながら、不機嫌に言う。

「あ、そういえば、この少女は知り合いの娘だって言ってなかったっけ？」

「ああ」

真田の言葉に、山縣が欠伸《あくび》をしながら頷いた。

「だったら簡単じゃんか」

「父親と話してみよう。まあ、何にしても、明日はおれと公香で彼女の監視……いや警護を担当する。一応、朝の登校時から対応した方がいいだろうな」

山縣は言い終わるのと同時に、どかっと椅子《いす》に腰を下ろし、腕組みをした。

「じゃあ、朝早いわね」

公香が言いながら帰り支度を始める。

「ちょっと待てよ。おれは、どうすんだ？」

真田は山縣に向かって身を乗り出した。

「お前は、彼女が予見する死の法則を探ってくれ」

「法則？　なんだそりゃ」

あまりに突飛な言葉に、真田は首を捻る。

山縣は、やれやれという風に首を振ってから説明を始めた。

「昨日、死ぬはずだった少女が、なぜ助かったのか？　それに、お前もなぜ助かったのか？　その理由が分からないことには、今回も助かるなんて保証はないだろ」

「人の死を予見するなんて、神の啓示《けいじ》みたいなもんだろ。理由なんて分かるわけねぇよ」

「神の啓示であったとしても、法則はある」

「は？」

「フラクタルの法則だよ。一見、不規則に見える幾何学模様も、ある一定の法則によって描かれる図形の集合体に過ぎないことがある」

「なんだそれ？」

「例えば、三冊のスクラップブックに、目を通して分かったことだが、彼女が予見した死は、全世界の全ての死なのか？」

「そんなわけないだろ」

もし、世界中の死なら、一部屋のキャビネットで収まるわけない。

「それなら、どういう基準で彼女は予見してるんだ？」

「ランダムなんじゃやねぇの？」

「だとしたら、彼女は国外の死も予見しないとおかしいだろ。資料を見る限り、日本に限られている。これだって立派な法則だ」

「そうなるね」

言われてみれば、確かにそうだ。

「それに、病死とか、自然死の類《たぐ》いは含まれていないようにも思うがどうだ？」

「確かに……」

全て殺人、もしくは、その疑いのあるものに限られている。

「そう考えると、やっぱりランダムに予見しているわけじゃない。何らかの法則に従って、彼女は死を予見している」

「だけどさぁ、そんなの解明できるかね」

「できなければ、あの少女は死ぬな。多分……」

山縣はそう言いながら、デスクの上にある少女の似顔絵を指差した。

「法則ねぇ……」

言わんとしていることは分かるのだが、果たしてこの短期間にそれを解明することができるだろうか——。

真田は、ジッポライターを擦り、飛び散る黄色い火花を眺めた。

ふと真田の頭に、哀《かな》しげな志乃の横顔が浮かんだ。

彼女でも、笑うことってあるのか？

いっちょやってみるか——。

十六

柴崎は、午後七時を回ったところで新宿署を出た。

普段、こんな時間に帰ることはあり得ない。まして、今は捜査が重要な局面を迎えている。

山縣から、無事に帰宅したという連絡は受けた。しかし、それでも娘のことが気になった。

駐車場に停めてある白のスカイラインに乗り込み、エンジンを回そうとしたところで、背後に気配を感じた。

振り返ろうとした時には、すでに遅かった。

こめかみに銃口が突きつけられる。

それに気を取られている間に、助手席のドアが開き、黒い覆面を被《かぶ》った男が乗り込んできた。

「お前は……」

口を開いた瞬間、柴崎の鼻っ柱にパンチが浴びせられた。

悶絶している間に、助手席の男に、素早い動作で口にガムテープを張られ、次いでビニール紐《ひも》のようなもので手首をハンドルに固定された。

こいつらの目的は、おれを殺すことか？　それとも拉致することか？

数々の修羅場をくぐり抜けて来たつもりだったが、心の大半を恐怖が支配していた。

足が震え、背中を冷や汗が伝う。

助手席の男は、何も言わずにポケットから煙草《たばこ》のケースほどの機械を取り出した。

ＩＣレコーダーだった。

男は再生スイッチを入れ、それをダッシュボードの上に置いた。

小型のスピーカーから、ボイスチェンジャーもしくは、機械で合成されたと思われる声が流れてきた。

〈これは警告である。余計な詮索《せんさく》は止《や》めろ。さもなくば、お前の命はもちろん、大切な家族も失うことになる〉

助手席の男が、一枚の写真を柴崎の前に示した。

それは、娘である江里菜の写真だった。

今までの恐怖が、全部吹っ飛んだ。変わって耐え難い怒りが腹の底から湧《わ》きあがる。

『お前ら！　ぶっ殺してやる！』柴崎の叫びは、ガムテープに阻《はば》まれ声にはならなかった。

ハンドルに縛り付けられた手を外そうと、力一杯身体《からだ》を振る。

紐が、手首に食い込む。

助手席の男は、もがく柴崎を蔑《さげす》んだ目で眺め、これみよがしに目の前で写真を真っ二つに切り裂いた。

〈即刻シャブの捜査も中止しろ。そうしなければ、娘は死ぬ。誰かにこのことを口外したら、その時も娘は死ぬ。家族には、いつもと同じように生活させろ。もし、少しでもおかしな動きをすれば、その時も娘は死ぬ。私たちは、常にお前を見ている〉

ICレコーダーの音声は、そこで終わった。

助手席の男は、ポケットから、スタンガンを取り出した。

バリバリと音を立てながら、青白い光を散らしている。

「あっ！」と思った時には既に遅かった。柴崎の意識は闇《やみ》の中に落ちて行った——。

……遠くで……携帯電話の着信音が鳴っている。

柴崎は、ゆっくりと目を覚ました。運転席のシートに、力なく寄りかかっていた。

「おれは……」

口にしたところで、急速にさっきの出来事を思い出し、慌《あわ》てて辺りを見回したが、車の中に自分以外の人間を見つけることはできなかった。

電話の着信音が止まった。

さっきのは夢か——。

その思いは、鼻に残る痛みが否定した。ルームミラーで確認してみると、口の周りに乾いた血液がこびりついていた。

両手の紐は、外されていたものの、暴れた時にできた擦過傷《さっかしょう》が残っていた。

足元には、引き裂かれた娘の写真がちらばっている。

はっと息を呑《の》み、携帯電話を取り上げる。山縣からの着信履歴が残っていたが、それより家族の身の安全を確認する方が先だ。

自宅の番号を呼び出し、通話ボタンを押す。

コール音が延々と続くような気がして、掌《てのひら》にべっとりと汗をかく。

〈もしもし〉

柴崎の焦燥感とは裏腹に、のんびりとした口調で電話に出たのは、娘の江里菜だった。

「江里菜か」

〈そうだけど……お父さん？〉

「無事なのか……」

〈なにが？〉

惚《とぼ》けたような娘の口調を聞き、柴崎は安堵《あんど》から脱力してシートにもたれた。

「いや。何でもない。家の戸締りはしたか？」

〈なんでそんなこと訊《き》くの？〉

「いいから、戸締りはしてあるか？」

〈したよ。だから、なんなの？〉

「いや、なんでもない。気にするな」

柴崎は、言いかけた言葉を呑み込んで電話を切った。

家族に事情を話すべきではない。余計なことを話しても、不安にかられるだけだ。

脅迫者《きょうはくしゃ》は言った。口外すれば家族の命はないと。当然、ターゲットにされている家族にも、打ち明けてはならないということだろう。

悔しいが、下手に動いてもしものことがあった時、家族を守り抜く自信がない。

捜査を続行したい気持ちはあるが、家族のことを思えば、自分の信念や正義などクソみたいなものだ。

明日、休暇《きゅうか》届を出そう。警察を辞めたっていい。

再び携帯電話が鳴り始めた。

表示された番号は、山縣のものだった。足元には娘の写真がある。不意に、あることに思い当たり、慌てて電話に出た。

「もしもし」

舌がもつれそうになるのを、かろうじて堪《こら》える。

〈今、大丈夫か？〉

山縣ののんびりとした声が聞こえてきた。

「ええ。私もお訊きしたいことがあります」

〈なんだ？　先にいいぞ〉

「あ、はい。山縣さんは、うちの娘の写真を撮影しましたか？」

声が上ずっているのが自分でも分かった。

山縣は、中西克明の娘から江里菜の監視を依頼されたと言っていた。さっきの覆面の男たちは、帰宅途中の娘の写真を持っていた。

もし、山縣たちが娘の写真を撮影して、手渡していたのだとすると、そこにつながりが生まれる。

〈いや。写真は撮ってない。どうしてだ？〉

山縣は、嘘《うそ》を吐《つ》くような人物ではない。

だとすると、別の人物か――。

「いえ、なんでもないです。山縣さんの話ってのはなんですか？」

柴崎は、全《すべ》てを打ち明けてしまいたい気持ちを、胸の奥に押し込み、言った。

〈情報源は明かせないが、お前の娘は命を狙《ねら》われている可能性がある〉

山県の言葉が、耳の奥を突き抜けた。

やはりそうなのか――。

「中西の娘が……」

だから、山県たちに監視を依頼した――。

〈それは違う。彼女は無関係だ〉

違うのか？

「では、誰が？」

〈それが分かっていれば、苦労はせんよ〉

「そ、そうですね」

〈できれば明日は江里菜ちゃんを学校に行かせず、様子を見ようと思うんだ。その上で、うちのチームでお前の自宅を監視する〉

残念だが、それはできない。奴《やつ》らは、いつもと同じ生活をさせろと言った。学校を休ませたりしたら、怪しまれることになる。

自宅を監視するといっても、山県たちは何の武装もしていない。

拳銃《けんじゅう》を持ち歩くような奴らに勝ち目はない。

「できれば、家族には余計な心配はかけたくないんです」

〈本気か?〉

「ええ」

山縣は、しばらく黙っていた。

勘のいい彼のことだ。きっと表面的な嘘など見抜いているだろう。

〈そうか。分かった。うちは、依頼された仕事として、お前の娘を監視する。それでいいな〉

「はい」

言った後に、唇を嚙《か》んだ。

〈ただ、彼女と秘書に関する調査は継続して頼みたいんだが……〉

「分かりました」

電話を切った柴崎は、脱力してハンドルに俯《うつぶ》せた。

この際、誰が犯人かなんてどうでもいい。脅迫者の言葉に従って、捜査を止め、口を閉ざしていれば、娘に害が及ぶことはない。

自らの心が折れる音を聞いた。

十七

事務所を出て、自宅のあるマンションに足を向けた公香だったが、コンビニの前に来たところで不意に足を止めた。

そういえば、夕飯がまだだった。

買い物カゴをぶら下げ、お弁当のコーナーに向かう。

この時間だと、お弁当の類《たぐ》いはほとんどが品切れになっていて、残り二つしかなかった。

公香は、それを二つとも買い物カゴに入れ、ペットボトルのお茶を二本買い、会計を済ませて店の外に出た。

「何やってんだか……」

独り言を口にしながら、公香は来た道を引き返す。

案の定、事務所の電気は未《ま》だ点《つ》いていた。

「しっかりやってる？」

階段を駆け上がり、ドアを開けて顔を出した。

「帰ったんじゃなかったのか？」

真田が、デスクの上の資料から目を離そうともせず、ぶっきらぼうに答えた。

「そういう言い方はないんじゃないの？」

「なんか、最近カリカリしてないか？」

真田が何気なく言った言葉は、公香の胸の奥をチクリと刺した。

「女性にそんな質問してるようじゃ、例のあの娘にも逃げられるわよ」

公香は、真田の向かいにある自分のデスクに腰を下ろす。

「例の娘？」

ここにきて、ようやく真田は視線を上げた。

図星を突かれると惚《とぼ》けてみたりする。男って本当に単純だ。

「依頼人と恋に落ちるのはいいけど、仕事が終わってからにしてよ」

「冷やかしに来たなら帰ってくれ」

「ここにお弁当が二つあるけど、帰っていいの？」

「くれ！」

公香がコンビニの袋を掲げると、真田はエサに飛びつく犬みたいに目を輝かせた。

「から揚げ弁当と、幕の内があるけど」

「から揚げ」

真田が即座に答えた。

引き締まった大人っぽい顔にはなったけど、食べ物の趣味はまるで子どもだ。

公香は、苦笑いを浮かべながら、から揚げ弁当を真田に渡す。

「サンキュー」

真田は言いながら、ラップを剝《は》がし、早くも弁当を箸《はし》でつつき始める。それでいながら手元の資料からは目を離さない。

「進捗《しんちょく》状況はどうなの？」

公香の質問に、真田は口にから揚げを頰張ったまま、手元にあった紙を一枚差し出してきた。

それは、東京近郊の地図だった。数十個の赤い点が書き込まれていた。

「これが、どうしたの？」

「……予見する死には、何らかの法則があるって山縣さんが言ってただろ」

から揚げを、ペットボトルのお茶で流し込んでから真田が説明を始める。

「それで、彼女が夢で見た事件の場所に、印をつけてみたわけだ。よく、映画なんかであるだろ。点を線でつなぐと暗号になってるなんて感じでさ」

真田の説明を受け、公香は改めて地図を眺めてみる。

だが、バラバラに散っていて、とても法則があるようには思えない。

「何か分かったの？」

「全然ダメ。山梨の山中とかも出て来ちゃって、地域性すら感じられない」

「残念。別の方法を探した方がいいわね」

公香は地図を真田に返した。

真田は、地図を持ったまま落胆したように、椅子《いす》の背もたれに身体《からだ》を預けた。

「あぁぁ。気が滅入《めい》るよ」

「弱音を吐いていいの？　愛《いと》しの彼女は、その殺人事件を生で見ているのよ」

公香は、自分で言った言葉に寒気がした。

あの志乃という娘の言っていることが本当だとするなら、彼女は、今まで何十件という殺人の現場を目の当《ま》たりにして来たことになる。

ニュースで見聞きするのと、現場で実際に見ているのでは、感じ方はまるで違うだろう。

「あいつ……泣くんだよ」

真田が、ポツリと言った。

「は？」

「だからさ、志乃って娘。死んでいった無関係な奴のことを思い起こして、助けられなかったって、泣くんだ」

「バカげてるわね」

「そう思うだろ。全然知らない奴だぜ。そもそも、今回のことだって、放っておけば済む話だろ」

「やっぱり、恋しちゃったのかな？　悲劇のヒロインに」

「そんなんじゃねぇよ」

からかったつもりだったが、真田は真顔で言い返してきた。

あらあら。マジになっちゃって。

こりゃ、勝ち目ないかもね――。

十八

翌朝、柴崎は後ろ髪を引かれる思いで自宅を出た。

家族には何も話せなかった。

かと言って、隠し通すこともできなかった。妻はいち早く様子がおかしいことに気付き「大丈夫なの？」と何度も声をかけてきた。

署に着いた後、真っ先に上司に体調不良を理由に、休暇届と合わせて、担当から外してもらえるよう願い出た。

上司である大野が「お前はそれでも警察組織の人間か！」と烈火《れっか》の如《ごと》く罵声《ばせい》を浴びせてきたが、それもほとんど頭に入らなかった。

今まで張り詰めていたものも、一度に折れてしまった。後は転がり落ちるだけ。降格は確実だ。交通課かどこかに回されるかもしれない。だが、それもいい。今まで家族を顧《かえり》みず、ただひたすら走ってきた。

妻や娘に小言を言われながら、一緒に夕飯を食べる生活も悪くない。

デスクに座り、煙草《たばこ》に火を点けたところで岩本が入って来た。

「柴崎さん。何かあったんですか？」

警察内部は噂《うわさ》の広まりが早い。もう、岩本の耳にも入ったようだ。

「別に、何も無いさ。ただ、ちょっと疲れたんだ」

心配し、うちのチームに志願してくれた岩本には、申し訳ないという気持ちがある分、突き放したような言い方になってしまった。

「誰かに何か言われたんですか？」

岩本が周囲に人がいないことを確認してから、声を潜めて言う。

その言葉に、一瞬ドキリとする。

「子どもじゃあるまいし、誰かに何か言われて動くわけないだろ」

岩本に気取られないように意識してはみたものの、声が少し震えてしまった。

取り繕《つくろ》うように浮かべた笑顔も強張《こわば》っている。

「……分かりました。これ以上は訊《き》きません。話せる時期がきたら、話してください」

岩本は足元に視線を落とし、うめくように言うと、肩を落として背中を向けた。

柴崎には返す言葉が無かった。

岩本は、何か特別なことが起きたのだと気付いている。そのうえで、今は黙っておこうと決めたようだ。

この男なら、後を任せられる。そう感じた。

柴崎の頭に、不意に山縣が警察を去った時のことが思い浮かんだ。

あの時、自分も「なぜだ！」と彼に食い下がった。きっと山縣は、今の自分と同じ気持ちだったのだろう。

「なあ、岩本……」

ドアを開けて出て行こうとする岩本を呼び止めた。

「なんでしょう？」

振り返った岩本の顔が、一瞬ぱっと明るくなったような気がした。

考えを改めたのではないか？　そんな期待があったのかもしれない。だが――。

「後のことは頼んだ」

「……はい」

「それと、前に頼んだ調査の件。分かったら連絡をくれ」

今回の捜査からは外れるものの、娘を守ってもらっているのだから、山縣との約束だけは果たさなければならない。

「分かりました」

岩本は、言葉とは裏腹に、首を左右に振ってから部屋を出て行った。

柴崎は、いつの間にか根元まで燃え尽きた煙草を、灰皿に押し付けた。

十九

志乃はゆっくりと目を覚ました。

夢は、見なかった――。

時計に目を向ける。十時を指していた。

少し眠り過ぎてしまったようだ。

頭がすっきりしていた。鬱積《うっせき》した思いを抱えずに目覚めたのは、母が死んでから初めてのことだった。

いつものように、寛子の助けを借り、バスルームに移動し、洗顔、歯磨き、着替えを済ませる。

部屋に戻った志乃は、そのまま車椅子で窓際《まどぎわ》まで移動すると、白いレースのカーテンを開けた。

空が濁っている。今にも落ちてきそうなほど雲が低い位置にあった。やはり、今日なのか――。

志乃が唇を嚙《か》み締めたところで、ノックの音がした。

「どうぞ」

長谷川が部屋に入って来た。

「真田様が、お嬢様と話がしたいといらっしゃっています」

「すぐに行きます」

「では、応接室にお通ししておきます」

長谷川はおやっ？　という感じで志乃の顔を見ると、目を細め、微笑《ほほえ》みを浮かべて、部屋を出て行った。

準備をしようと顔を動かした時、ドレッサーに備え付けられた、楕円形《だえんけい》の鏡に映る自分と目が合った。

あたしが、楽しそうに笑っている——。

意識していなかっただけに、驚きがあった。なぜ、笑ったの？

頬を撫《な》でてみたが、その答えは出ない。

ただ、自分の中に、今まで知らなかった感情が漂っているのを感じた。

志乃は櫛《くし》で、丁寧に髪をとかし、ドレッサーの抽斗《ひきだし》を開け、中から古びた化粧箱を取り出した。

これは、ママの使っていたもの。普段、家にいることが多いから、化粧はほとんどしない。リップクリームを塗るくらいだ。

でも今は——。

ピンクの口紅を手に取り、リップブラシで唇をなぞる。

鏡の中で、唇だけ艶《つや》を持ち、浮き出したように見える。

「そういうのも悪くないね」

突然の声に、志乃は口紅を床の上に落とした。

車椅子を動かし振り返ると、ドア口のところに真田の姿があった。ツバつきの帽子をかぶり、こちらを見て微笑んでいる。

火がついたように、頬と耳が熱くなる。

真田は何食わぬ顔で歩み寄ると、床に落ちた口紅を拾い、呆然《ぼうぜん》としている志乃の掌《て》に返した。

「申し訳ありません。応接室でお待ちするように言ったのですが……」

後から入って来た長谷川が腰を折った。

「この人悪くないよ。おれが勝手に来ちゃっただけだから。迷惑だったかな？」

真田が肩をすくめる。

「いえ。あたしは別に……」

志乃は唾《つば》を呑《の》み込んでから、冷静さを装《よそお》い答えた。

「良かった。あんたと少し話をしたいって思ったんだ」

「あたしと？」

「そう。あんたと」

真田はそう言うと、ベッドの脇《わき》に置いてあった、長谷川用の椅子に座った。

誰かにそんな風に言われたのは、初めてのことだ。

志乃は戸惑いながらも車椅子の向きを変え、真田と向かい合った。

長谷川は「私はこれで」と頭を下げて部屋を出て行く。

「思ってたより、殺風景な部屋なんだな」

真田は、好奇心に満ちた目で、部屋の中を見回しながら言った。

本当は、部屋の中をもっと自分好みに変えたいところなのだが、車椅子の生活をしていると、通路となるスペースが必要になるし、自分で自由に配置換えも出来ない。

だから、ベッドにドレッサー、サイドボードと必要最低限の物しか置いてない。

「あたしの部屋の話をしに来たわけじゃないですよね？」

気恥ずかしさを誤魔化すように、志乃は話を切り出した。

「ああ。そうだった。最初に夢を見た時のことを訊きたかったんだ」

「最初の……ですか……」

志乃の中に、躊躇《ためら》いがあった。

最初の夢は、真田の両親が殺害された事件。

その時の詳細を話すことは、彼の傷に塩を塗るような行為だと感じた。

「そうだ。おれが両親のところに駆けつけた時は、もう二人とも死んでいた。犯人の顔もまともに見ていない」

真田の目には、迫って来るような迫力があった。

たぶん、彼は未《いま》だにその犯人を追い求めている。

根拠はないが、真田の凛々《りり》しい眉《まゆ》の下にある、真っ直《ます》ぐな目を見てそう感じた。

「手がかりという意味では、あたしもはっきり分かりません」

「どんな些《さ》細《さい》なことでもいい。聞かせてくれ。それが、少女を助ける手がかりになる」

「どういうことです？」

「なぜ、おれの時と、一昨日《おととい》の女の子は助かったのか？　その理由が分かるかもしれない」

真田の言うことには一理ある。

何かが起きたから、二人は助かった。その何かが分からなければ、どんなに頑張ったところで、少女は死を迎える。

「覆面の二人組は、寝室に入るなり、お父様の胸めがけて発砲しました」

志乃の頭に、あの時の夢の映像が鮮明に蘇《よみがえ》る。

もう七年も経《た》っているというのに、少しも色あせていない。

胸が、息苦しくなる——。

「警告も無く？」

「ドアを開けた瞬間です……。その後、お母様を撃ち、まだ生きているお父様をもう一度……」

志乃は、それ以上言葉を続けることができなかった。

あの二人組は、容赦しなかった。物を壊すような感覚で人を殺した。とても人間とは思えない。

「親父《おやじ》は、死ぬ前に何か言ったか？」

真田が立ち上がり、背中を向けた。自分の表情を見られないようにしているのだろう。

「お母様を撃とうとした男に向かって『頼む……やめてくれ……』と……」

「だが、やめなかった……」

握り締められた真田の右の手の甲に、青白い血管が浮き上がった。

がっしりとした肩が、微《かす》かに震えている。

「ご両親は、どんな方だったのですか？」

志乃は、真田の背中に向かって呼びかけた。

「どうだったかな。忘れちまった」

真田は、肩をすくめ、おどけるようにして答えた。

本当に忘れているわけではないだろう。人は、悲しみが強すぎると、そのことについて考えるのをやめてしまう。

「あんたのお袋さんは、どんな人だったんだ？」

窓の外を見ながら真田が言った。

「とても優しくて、でも、怒ると怖いんです。六歳の時、ママの大事にしていた指輪を勝手に持ち出して、それで、落としちゃったんです……」

「あ！　それおれも似たようなことやった。親父の財布から小銭を盗んだんだ」

「あたし、引《ひ》っ叩《ぱた》かれました」

「おれは、親父にやられた。しかも、グーだぜ。鼻血出たもんな」

「え？　本当に？」

「マジ。それにさ、中学の時は、テストの点とか悪くても、何にも言わなかったのに、サッカー部を勝手に辞めたのがバレて、二人揃《そろ》って朝まで説教だよ」

「眠くならなかったんですか？」

「気がついたら寝てたよ。あんたは、何かやってなかったのか？　スポーツとか、音楽とか」

「ピアノを……」

志乃の視線は、自然に部屋の隅に向けられた。

そこには、木目調の小型ピアノが置いてある。調律と、掃除は欠かさずやっている。だけど、七年間、一度も鍵盤《けんばん》を叩《たた》いていない。

「へえ。弾けるんだ」

「今は、もう……」

志乃は、かぶりをふった。

「そっか。でも、そのうちまた弾くんだろ」

「それは……」

そんなこと、考えたこともなかった——。

足が動かないから、ペダルを踏むことができない。でも、ペダルがなくてもピアノは弾ける。

ママが死んでからは、ピアノの音を不快に感じるようになってしまった。

ママは、あたしのピアノの演奏会の衣装を買いに行く途中で事故にあった。もし、ピアノなどやっていなければ――。

演奏会などなければ――。

過去に「もし」は存在しないことは分かっている。でも、どうしてもそのことが頭から離れない。

もう一度ピアノを弾く日が来るのだろうか？

「参考になったよ。ありがとう」

真田はそう告げると、ドアに向かって足を進める。

「これから、どうするんですか？」

志乃は、ドアノブに手をかけた真田を呼び止めた。

「少女の監視は山縣さんたちがやってる。おれは、彼女の殺害現場を探す」

「あたしにも、手伝わせてください」

志乃は、真田の隣まで車椅子《くるまいす》を移動させる。

「手伝うって言ってもなぁ……」

「足手まといですか」

こんなことに巻き込んでおいて、自分だけ何もできない。その悔しさが、胸を埋め尽くす。

「あんた、意外に頑固なんだな」

「その呼び方、止《や》めてください。バカにされてるみたい……」

今まで、自分がなんと呼ばれるかなど、気にしたことなどなかったのに――。

「分かった。手伝ってもらえるか？　志乃ちゃん」

「ちゃんだなんて、子ども扱いしないで！」

思いがけず大きな声を出したことに、志乃は自分で驚いた。

真田は、志乃の表情を見て、ひとしきり笑った後、急に真顔に戻った。

「じゃあ、志乃。似顔絵が描けるなら、風景画も大丈夫だな」

自分でそう望んだクセに、いざ呼ばれると、気恥ずかしくて、一気に体温が上がる。

「……得意じゃないけど、多分描けると思います」

「よし。作戦はこうだ。まず、志乃は、夢の中の映像を元に、現場の風景画を描いてくれ」

「はい」

「それから、地図で目ぼしい場所を調べてくれ。おれは、志乃が描いた絵を持って、現地に行き、同じ場所か確認する。原始的だけど、まあ仕方ない」

「分かりました」

真田の提案に、志乃は力強く頷《うなず》いた。

「携帯で連絡を取り合おう」

「はい」

「頼りにしてるぞ」

「はい」

真田が最後に言った言葉は、志乃の心の奥をくすぐる。自分にも何かできる――。

自然と笑みがこぼれた――。

二十

「もうすぐ授業が終わる頃よ」

ミニバンの助手席の公香は、運転席で仮眠をとっている山縣に声をかけた。

山縣は、はっと我に返ったように腕時計の時間を確認する。

「もうこんな時間か……」

聞けば、山縣はターゲットの少女の自宅を、夜通し監視していたのだという。

口には出さないが、山縣は、今回の一件で、何かただならぬものを感じとっているのかもしれない。

フロントガラス越しに、空を見上げた。

雲行きが、だいぶ怪しくなってきている。志乃の予見が本当に正しいのであれば、少女の命は風前の灯《ともしび》ということになる。

「ねえ。山縣さんは、本気で志乃って娘が、死を予見するなんて話を信じてるの？」

「金属バット」

「え？」

山縣の脈絡のない答えに、公香は首を傾《かし》げる。

「彼女は、あの時、真田が金属バットを持って犯人に襲いかかったと言った」

「その件は公式発表には無いのね」

「そういうことだ」

山縣が両手を頭の後ろで組んで、シートにもたれかかった。

警察は、犯人が見つかっていない場合、事件の内容の全《すべ》てを明かさない。犯人しか知り得ない秘密を残す。

その秘密を知っているか否《いな》かで、自白の信憑性《しんぴょうせい》を測るためだ。

「彼女が犯人だったって可能性は？」

「彼女は当時十二歳だぞ」

「じゃあ、彼女の父親は？」

「理由がない」

「何か、個人的に恨みがあったとか？」

「あれは、憎しみや、嫉妬《しっと》といった感情で引き金を引いたんじゃない。プロが仕事として引き金を引いた。そういう現場だった……」

「プロを雇ったのかもしれないじゃない」

「彼女に敵対心を燃やすのはいいが、あまりムキになるなよ」

「別にムキになんて……」

公香は言いかけた言葉を呑《の》み込んだ。

ここで反論の言葉を並べたら、それこそムキになっていると思われる。

「出て来たぞ」

山縣が表情を一変させ、声を低くして言った。

公香も慌《あわ》てて校門に視線を向ける。いた。友だちと楽しそうに話をしながら歩いている。

「公香。尾行できるか?」

「OK」

答えるのと同時に公香は車を降りた。

早足で彼女に近付き、十メートルほど距離を置いたところで、歩調を合わせる。このまま何もなければいいんだけど——。

志乃の予見を百パーセント信じているわけではない。ただ——。

公香は少女の背中を見つめながら、胸の内で祈った。

二十一

「今度こそ頼むぞ」

ドラッグスターを降りた真田は、立入禁止の標識がかかった網目のフェンスをよじ登り、敷地の中に足を踏み入れた。

ポケットから、志乃が描いた絵を取り出し、実際の風景と比較をする。

ここは、世田谷区と狛江《こまえ》市の間の高台にある貯水池。

五十メートル四方のでっかい水槽があり、用具置き場のような平屋の建物もある。

フェンスの向こうには、住宅街が広がっている。志乃の描いた絵と似ていなくもない。

だが——。

「ここも違う」

志乃の夢では、少女は水槽の中に浮かんで死んでいた。

水槽自体の深さは、三メートルほどあるのだが、水は十センチほどしか溜《た》まっていない。これじゃ、浮かぶことは無理だ。

すぐに携帯電話を手に取り、志乃の番号を押す。

待ちかねていたのだろう。ワンコール目が終わる前に、志乃が電話に出た。

「残念だけど、ここも外れだ」

〈そうですか……〉

志乃の落胆した声が耳に届いた。

「落ち込んでる暇はないぜ。次はどこだ？」

〈はい〉

電話の向こうで、キーボードを叩く音が聞こえる。

〈多摩川沿いに、貯水池があります〉

しばらくして、志乃の声が返ってきた。真田は、折り畳んだ地図を取り出し、多摩川沿いを指でたどっていく。

あった。

「この、生田浄水場ってやつか？ 近いな」

〈ええ。その辺りは、多摩川が近いから、そういう施設が結構多いんだと思います〉

「なるほど」

真田は、志乃の言葉に納得しつつも、大したものだと感嘆する。

それらしい場所をピックアップして欲しいという指示を出しただけで、彼女は効率的に回るルートを計算し、伝えてきている。

〈雨が……〉

志乃が唸《うな》るように言った。

真田は、慌てて空を見上げる。

分厚い雲が、空一面を覆《おお》っている。

頬に落ちた水滴が、タイムリミットが迫っていることを告げている。

「急いだ方が良さそうだ」

真田はそう告げて電話を切ると、フェンスを乗り越えバイクに戻り、セルを回す。

しかし、なかなかエンジンがかからない。

電気系統の調子が悪い。

「クソッ！　こんな時に！」

真田は坂道を利用して、バイクを押し掛けする。

「これだから、新しいの買ってくれって言ったのに」

文句を言いながら、ようやくエンジンのかかったバイクに飛び乗り、アクセルを全開に捻《ひね》った。

二十二

「雨、降ってきたわね」

公香は、空を見上げて呟《つぶや》いた。

〈このまま、真《ま》っ直《す》ぐ自宅に帰ってくれるとありがたいんだが〉

無線機のイヤホンから、山縣の、のんびりした声が聞こえてきた。

公香は、折り畳み傘を開きながら、前を歩く江里菜の後ろ姿に目を向ける。

彼女も、持っていた赤い傘をさす。

そのまま、友だちと別れ、昨日と同じように、公園を横切り反対側の道路に向かう。

昨日、走り去る男の姿を見かけたのは、この公園だ。

「ここ、注意した方がいいわよ」

〈男がいたって場所か……〉

山縣が、心得たという風に返事をした。こちらの現在位置を把握してはいるようだ。

公香は、トイレの横の茂みに、注意深く視線を向けてみたが、そこに人の姿はなかった。

江里菜は、真っ直ぐ公園を横切っていく。

あと五十メートルも歩けば、彼女の住んでいるマンションに到着する。動いているより、家にいる人物を監視する方が圧倒的に楽だ。

公香は、ほっと胸を撫《な》で下ろす。

江里菜が、公園から道路に出ようとしたその瞬間、急ブレーキをかける音とともに、彼女の進路をふさぐように一台の車が停車した。

白のプレジデント。

ドアが開き、中から二人の男が飛び出してくる。

江里菜の口を押さえ、両脇《わき》から彼女を抱え、強引に車の中に連れ込もうとする。

赤い傘が、アスファルトに転がった。

「マズイわよ！」

〈公香は、そこで叫べ。それから、警察に連絡を〉

山縣は早口で言う。

「分かった」

公香は、答えるのと同時に「きゃ！」と金切り声を上げる。

男たちが、反応して一瞬だけ動きを止める。

その隙《すき》を突いて、道路の反対側、電柱の陰から山縣が駆け出してきた。

山縣が、男たちに飛びかかろうとした時だった——。

パン！

乾いた破裂音が響いた。

公香は、何が起きたのか理解できなかった。

白のプレジデントは、江里菜を後部座席に押し込むと、そのまま猛スピードで走り去った。

山縣が、腹を押さえて胎児のようにアスファルトにうずくまっている。

「しっかりしてください」

公香は、倒れている山縣の下《もと》まで駆け寄った。

シャツの左脇腹のあたりに、小さな穴が空いていて、そこから血が染《し》み出している。

なんてことだ。

流れ出した血を、洗い流すように次第に雨脚が強くなっていく。

白昼の街中で、少女を誘拐したばかりか、銃をぶっ放すなんて——。

「……彼女は」

痛みに表情を歪《ゆが》めたまま、山縣が言った。

よかった。まだ生きている。

「喋《しゃべ》らないで！」

公香は、山縣を一喝すると、ハンドバッグからハンカチを取り出し、それを彼の腹部にあてがう。

白いハンカチが、みるみる赤く染まっていく。

どうしよう。血が止まらない。

「なんで、こんなことに……」

ハンドバッグから携帯電話を取り出す。その手が、小刻みに震えていた。

呼び出し音が、いつもよりゆっくりに感じる。

〈はい、一一九番です〉

やっとつながった。公香は、早口に現在位置と、山縣の状況を伝えた。

「真田に……伝えろ……」

電話を切るのと同時に、山縣が公香の腕を摑《つか》んだ。

「なに？」

雨音が、邪魔して、今にも消え入りそうな山縣の言葉を、はっきりと聴き取ることができない。

公香は、耳を山縣の口元にもっていく。

山縣の、弱々しい呼吸が聞こえた。

「……今すぐこの件から……手を引け……」

「ええ。分かったわ」

公香は山縣の手を握り、力強く頷《うなず》いた。

その選択は、正しい。

江里菜のことが心配ではあるが、このまま事件にかかわり続ければ、命はない。

相手は、街中で拳銃《けんじゅう》をぶっ放すような奴《やつ》らだ。

ふっと山縣の身体《からだ》から、力が抜けたような気がした。

「山縣さん！　しっかりしてください！」

呼びかけるが、山縣は目を閉じたまま微動だにしない。

「ちょっと、やだ……。ねえ。山縣さん。起きてよ……」

もし、山縣がいなくなったら――。

良からぬ想像が頭をかすめる。

薬に溺《おぼ》れ、人形のように生きてきた自分に、人生をくれた人。

絶対に死なせない。

公香の想《おも》いを打ち砕くように、さらに雨が勢いを増した。

二十三

柴崎は、窓際《まどぎわ》に立ち、降り注ぐ雨を眺めていた。

自分の選択は、本当にこれでよかったのだろうか？　こんなことで、本当に娘の平穏な生活が取り戻せるのだろうか？

全《すべ》ての事情を話し、警察に家族を保護してもらうことの方が、正しい選択だったのではないか？

妨害工作が入ったということは、自分が事件の核心に近付いたことを意味している。

だが、その心当たりがまるでない。

スーツの内ポケットに入れてあった携帯が振動し、柴崎の思考は中断された。

非通知の番号だった。

「もしもし……」

おそるおそる電話に出た。

〈お前は、約束を破った〉

昨日、聞いたのと同じ、機械の合成音のような声。

背中に、じっとりと汗が浮かぶ。立ちくらみを起こしたかのように、意識が朦朧《もうろう》とし、手足が痺《しび》れた。

「バカな。捜査からは手を引いたはずだ」

〈表向きはな〉

「どういうことだ？」

〈それは、自分に訊《き》くといい〉

何だ？　何がどうなっている？

「いったい、なんの話をしているんだ。お前らの要求を呑《の》んで捜査から手を引いた。

このことは誰にも話していない。それで満足だろ」

もし、彼らが、何かしらの誤解をしているのであれば、それは解かねばならない。

〈娘は、われわれが預かっている〉

その言葉を聞いた瞬間、柴崎の頭の中は真っ白になる。力が抜け、立っていることができなくなり、膝《ひざ》を床に落とし、壁に手を着いた。

何も考えられない。

〈返して欲しければ、四時に新宿中央公園まで来い〉

柴崎の想いなどお構いなしに、電話の相手が告げる。

「……」

〈分かっているとは思うが、もし、このことを他の人間に漏らせば、娘は死ぬ〉

電話が切れた。

――危険な目に遭わせるわけにはいかない。

山縣が言った言葉が、不意に頭の中を過《よ》ぎった。

そうか。こういうことだったか。心のどこかに甘えがあった。家族が危険に晒《さら》されることなどないと――。

自分の家族は、大丈夫なんだと――。

今さら悔やんでも遅い。

娘は、何があろうとも、自分の手で取り返す。

柴崎は、意志を固め、立ち上がった。

二十四

「ダメだ。ここも違う」

真田は落胆のため息をついた。

雨は強さを増し、焦燥感を色濃いものに変えていく。

次の場所を確定させようと、携帯電話を取り出したところで、着信があった。公香からだ。

「今は忙しい。後にしてくれ」

〈山縣さんが撃たれたわ〉

真田の言葉に、かぶせるように公香が言った。

「なんだって？」

〈だから、山縣さんが銃撃されたのよ〉

「銃撃って、どういうことだ！　山縣さんは無事なのか？　誰がやった！」

血が、熱を持って身体の中を駆け巡る。右の側頭部に残った古傷が疼《うず》いた。

〈落ち着いてよ〉

「これが落ち着いていられるか！」

〈山縣さんは、今、手術中〉

「大丈夫なのか？」

〈それは医者に訊いてよ！〉

公香の金切り声が響いた。

それを聞き、真田は我に返る。怒鳴っていても始まらない。冷静になれ。

「なんで山縣さんが撃たれた？」

〈江里菜ちゃんが、車で拉致《らち》されたの。それを止めようと飛び出して……〉

公香の声に、いつもの力強さはなかった。頼りなく震えていた。

「やったのは誰だ？」

〈分からないわ。白のプレジデントだった。車のナンバーは見たけど、そこから辿《たど》るのは時間がかかるわ。あれだけ大っぴらにやったんだから、偽造ナンバーの可能性もあるし、あまり、あてにならないと思う……〉

公香の言う通りだ。どうやら——。

「予見した死が、実現しちまいそうだな」

おれたちは、どこかで志乃の予見した死が、現実には起こらないのではないか？

そう思っていたのかもしれない。

甘かった——。

〈山縣さんから、真田に伝言よ〉

「なんだ？」

〈すぐに手を引けって。この件からは撤収よ〉

「冗談じゃない！ ここまできて引き下がれるか！」

〈なにをそんなにムキになってるのよ！ あなたとは無関係の人間でしょ！ もういいじゃない！ 志乃って娘もかわいそうだけど、死ぬと決まっている運命なら、放っておけばいいのよ！〉

「そんなことできるか！ このままいけば少女は死ぬんだぞ！」

〈あたしたちが、かかわったって、死人が増えるだけよ！〉

真田の頭の中に、志乃の顔が浮かんだ。

憂《うれ》いのある目。彼女が見てきたのは、変えようのない人の死の運命——。

人間ごときがあがいたところで、その流れを捻《ね》じ曲げることはできない——。

だが、だとしたら、なぜ彼女には人の死が見える？

〈ねえ。真田。もう止《や》めてよ。あたし、真田までいなくなったら、どうしたらいいか……〉

いつもは、気丈に振る舞っているはずの公香が、涙声だった。

後ろ髪を引かれるような想いがした。

〈ねえ。お願いだから！〉

公香のその言葉は、ほとんど悲鳴に近かった。

「ああ。分かった」

〈本当に？〉

「ああ。本当だ……後でおれも病院に行く」

言い終わると同時に、真田は電話を切った。

「クソッ！」

地面を蹴《け》りながら吐き出した真田は、すぐに携帯電話で志乃に連絡を入れた。

〈どうでしたか？〉

「……ここも、ダメだった」

〈そうですか？ 次は……〉
志乃が電話の向こうで、キーボードを叩《たた》く音がする。
おれは、今日、死ぬという少女とは直接の面識はない。
志乃とは、一昨日顔を合わせたばかりだ。なのに、命をかける必要があるのか？
その答えはすぐに出た。
考えるまでもなく決まっていたことだ。
「志乃。悪いんだけど……」
〈……なんですか？〉
何かを感じとったのだろう。志乃の声が微《かす》かに震えていた。
そんなに大げさに受け止めてもらっては困る。
「ルートは考えなくていい。時間がないから、本命だと思う場所を言ってくれ」
〈はい〉
志乃の声が、耳に心地良く響いた。

二十五

柴崎は、新宿中央公園の、水の広場にいた。

目の前を走る公園通りを、車が水しぶきを上げながら走り去っていく。

傘もささずに、その場所に立ち続けたせいで、スーツはおろか、下着までびしょびしょに濡《ぬ》れている。

だが、そんなことはまるで気にならなかった。

頭を過《よ》ぎるのは、娘の江里菜のことだけ。彼女さえ無事でいてくれれば、他はどうでもいい。

腕時計に目をやる。もうすぐ四時になろうとしている。

携帯電話が鳴った。

〈時間に正確だな〉

ボイスチェンジャーの声だった。

「娘は？」

〈焦《あせ》るな。そのまま道路に出ろ〉

柴崎は、言われるままに歩道のポールをまたいで、道路に出た。

シルバーのクラウンが、減速しながら走りこんで来て、柴崎の前で停車した。

後部座席が開き、一人の男が車から降り立った。

四十前後の、痩身《そうしん》の男だった。開襟《かいきん》のシャツを、これみよがしに広げ、金のネックレスをぶら下げている。

男は無言のまま、入念に柴崎のボディーチェックを始めた。

腰のホルスターにぶら下げた拳銃《けんじゅう》だけでなく、財布や警察手帳、携帯電話に至るまで取り上げられた。

「乗れ」

男は顎《あご》を振って柴崎に指示をする。

抵抗する意志などない。

柴崎は、素直に男に従い、開いているドアから車の後部座席に乗り込んだ。

中には、ニット地の黒い覆面をした男が待っていた。さっきボディーチェックをした男と、サンドイッチにされるかたちで座らされた。

覆面の男は、さっき金ネックレスの男が柴崎から取り上げた拳銃を右手に握り、銃口を向けている。

「もう少し熟慮ある行動をしてくれれば、こんなことにならなかったものを……」

車が走り出すのと同時に、覆面の男が言った。

その声に聞き覚えがあった。

「岩本か……」

「……」

返事はない。

不思議なことに、さほど驚きはなかった。

警察内部に、内通者がいることは、ある程度予測ができていた。

そうでなければ、北朝鮮からの麻薬密輸検挙数の少なさの説明ができない。

考えてみれば、岩本がうちのチームに参加した経緯は、明らかに不自然だった。最初から、おれを監視するのが目的だったわけか。しかし、なぜ、岩本が――。

おそらく、内部のもっと上に彼を動かしているやつがいるのだろう。

だが、そんなことより――。

「お前が誰であってもいい。こうやって、約束通り来たんだ。娘は、返してもらえるんだろうな」

柴崎は、唾《つば》を飲み込みながら言った。

覆面男は無言のままだ。かわりにボディーチェックをした金ネックレスの男が口を開いた。

「そのつもりだった」

「だった、だと……」

柴崎の声が裏返った。

「事情が変わった。お前だけ殺して終わりのはずだった」

「江里菜は何も知らん！」

「それは承知だ。だが、拉致する時に、邪魔が入った」

おそらく、邪魔が入ったというのは、山縣たちだろう。

「殺したのか？」

「死んでくれると、嬉《うれ》しいんだが……とにかく、お前の娘を解放するわけにはいかなくなった」

最悪の状況だ。これでは、自分はただ無駄に殺されに来ただけだ。

絶望から、肩を落とした柴崎だったが、すぐに腹の底から怒りが込み上げてきた。

最初の脅迫があった時から、指示通りに捜査を中止した。それなのに、今から自分と娘は殺されようとしている。

こんなバカな話があるか！

運転席に一人。後部座席に二人。覆面男からは銃を突きつけられていて、身動きが取れない。

普通にやりあったら勝ち目はない。

「くそ！　なんてことだ……」

柴崎は両手で顔を覆《おお》い、うずくまるようにして肩を震わせ、嗚咽《おえつ》した。

「あなたの、そんな姿は見たくなかった」

覆面男がポツリと言った。

この声。やはり岩本か——。

柴崎は、言いかけた言葉を呑《の》み込んで、泣き崩れる演技を続けた。

車が、幹線道路に入り、スピードを上げるのが、水を切る音で分かった。

今だ！

柴崎は顔を上げ、体重を乗せた肘《ひじ》打ちを覆面男の顔面に叩きつける。

ガラスと板挟みになった男は「ぎゃっ！」と悲鳴を上げる。

その手から素早く拳銃を奪い取り、隣に座る金ネックレスの男に銃口を向け、引き金を引いた。

しっかり狙《ねら》いを定める余裕が無かった。

弾は男の足に命中した。

「この野郎！」

男も拳銃を抜く。

まずい！ 柴崎は、改めて狙いを定め、引き金に指をかけた。

後ろから、覆面男が覆い被《かぶ》さって来た。

押し倒された拍子に、銃口から弾丸が発射された。それは、車を運転している男の背中を貫いた。

男がハンドルに倒れ込み、車が大きく反対車線に流れていく。

激しいクラクションの音が鳴り響く。

フロントガラスの向こうに、大型トラックが迫っていた。

身体《からだ》を引き裂かれたような衝撃が走った——。

二十六

真田は、フルスロットルでバイクを走らせていた。

雨が、ヘルメットのシールドに激しくぶつかり、視界がゼロに近い。

少女の命がかかっている。スピードを落として、安全運転というわけにはいかない。

駅から通じる坂道の中腹まできたところで、長沢浄水場が見えてきた。

頼む。正解であってくれよ。

真田は祈りを込めて、坂道を登りきった。

正面に黒い鉄柵《てっさく》の門がある。立入禁止の標識がかかり、チェーンでぐるぐる巻きにされている。

周囲にあまり家はないし、人通りも少ない。

拉致《らち》して、監禁しておくのには持ってこいの場所かもしれない。

だが――。

真田は、バイクにまたがったまま携帯電話を手にとった。

「ここじゃない!」

電話に出た志乃に向かって、真田は言った。

中に入るまでもない。この場所は見当違いだ。志乃の描いた風景とは似ても似つかない。

〈そんな……〉

「次は、どこに行けばいい？」

焦りから、まくしたてるような口調になる。

〈待ってください。今、探します〉

志乃が、キーボードを叩き始める。

「ここだと思った理由はなんだ？」

〈近くに、煙突が見えませんか？〉

雨で視界が悪い。それでも、諦《あきら》めるわけにはいかない。辺りを見回してみる。

あった――。

志乃の言う通り、確かに南の方角に煙突が見えた。

そうか。志乃は、煙突が見える位置にある浄水場、もしくは貯水池を探していたのか。

「灰色のやつか？」

〈いえ……。違います。赤白の縞《しま》模様の……〉

志乃の声は、今にも泣き出しそうだった。

「クソッ！」

苛立《いらだ》ちで、ヘルメットを地面に投げつけた。

電話の向こうで、志乃が必死にキーボードを叩いている。
〈そこから、南西に四キロほど行ったところに、もう一本煙突のある建物がありま
す〉
何かを見つけたらしい志乃が声を上げた。
真田も、地図を取り出し、指でなぞりながら確認する。
あった——。
ゴミ焼却炉。ここは、確かゴミを焼却した余熱で、温水プールを運営していた。
「この先に、浄水場か貯水池があればＯＫなんだな」
〈……浄水場はないけど、人工の池があるわ。釣堀だった場所〉
そいつは、盲点だった。
浄水場や、貯水池ばかりに目を奪われ、最初から除外していた。
「分かった！　そこに行ってみる！」
迷っている暇はない。
真田は、脱いだヘルメットを再びかぶり、アクセルを噴かしバイクをスタートさせ
た。

二十七

「あたしも行きます」

真田との電話を終えた志乃は、脇《わき》に控える長谷川に強い口調で言った。

志乃の胸には、嫌な胸騒ぎがあった。

根拠はないが、運命の歯車が狂いはじめている。そんな気がしていた。

「いけません！　今からお嬢様が行ったところで、何の解決にもなりません」

いつも穏やかな長谷川が、厳しい口調で言った。

まるで、お前は役立たずだと宣告されているようだ。

「そんなこと、分かってるわ！　でも、今までみたいに、何もしないよりはずっといい！」

「ダメです」

「どうして」

長谷川は志乃の前に跪《ひざまず》き、視線を合わせる。

「お嬢様の予見では、拳銃を持った男が二人いるんですよね。そんな危険な場所に、どうして行かせられますか？」

「危険な場所だから、あたしを行かせられないということですか？」

「そうです」

それは、エゴだ——。

「あたしでなければ、危険な目にあっても構わないのですか？」

志乃は、長谷川を睨《にら》みながら叫んだが、長谷川はまったく動じなかった。

「ええ、そうです。本心を言えば、予見した夢のことも、忘れてくださると嬉しいです」

「そんな……だって……」

「もちろん、お嬢様が予見する死が真実であることは知っています。しかし、それは他人なのです。今まで、お嬢様の気持ちを考えてお付き合いしてきましたが、あまり、危険なことにかかわらないで欲しいというのが本音です」

長谷川の口調は淡々としていた。

今まで、彼がそんな風に考え、それを胸の奥にしまっているなんて、気付きもしなかった。

いや、違う。考えようともしなかっただけだ。

「でも……あたしは、彼を巻き込んでしまいました」

「それが、彼の運命です」

「違うわ！」

「差し出がましいようですが、私にとって、お嬢様は孫のようなものなのです。少しでも私の気持ちを察して頂けるなら、どうか……」

志乃は、懇願する長谷川から目を逸《そ》らした。

大切に想《おも》ってくれるのは嬉しい。だけど、それでも納得できなかった。

あたしの足が自由に動けば、今すぐにでも長谷川を突き飛ばして、駆け出して行くのに——。

志乃は、硬く目を閉じ、真田と少女の無事を祈ることしかできなかった。

二十八

柴崎は、左足を襲う激痛で覚醒《かくせい》した。

仰向《あおむ》けに倒れているのに、目に映ったのは車のシートだった。

どうやら、トラックとぶつかった衝撃で、ひっくり返ったようだ。

何かが身体の上に乗っている。頭から血を流し、両目を見開いた男が、覆い被さるようにして倒れていた。

金ネックレスの男だ。

柴崎は、男を押し退《の》け、這《は》うようにして車の外に出た。拳銃《けんじゅう》が見当たらない。

スラックスが破れ、左足の太腿《ふともも》の皮膚が裂け、大量の血が流れ出している。

痛みを堪《こら》えながら、ベルトを大腿部《だいたいぶ》に巻き、きつく締めつけ、血止めをする。

「大丈夫ですか？」

集まり始めたヤジ馬が声をかけてきた。

柴崎は、その呼びかけを無視して、右足だけを使って立ち上がる。

覆面男はどこだ？

車の中にはいなかった——。

柴崎は、道路の中央に、人だかりができているのを見つけた。

左足を引きずりながら、人だかりを掻《か》き分け、その中心に入り込む。

「あそこか……」

アスファルトの上に、仰向けに倒れた覆面男の姿を見つけた。

あばら骨を折ったのかもしれない。左の脇を押さえ、苦しそうに呼吸している。医者ではないから、専門的なことは分からないが、命に別条は無さそうだ。

覆面男は、柴崎の姿を認めると、腰のホルスターから拳銃を抜き、こちらに向けようとしたが、手に力が入らないらしく、拳銃が滑り落ちた。

柴崎は、すぐにそれを拾い上げ、男に銃口を向け、もう一方の手で覆面をはいだ。

「やっぱりお前か……」

覆面の下にあったのは、岩本の顔だった。

悔しそうに表情を歪《ゆが》めている。

「娘は、江里菜はどこだ？」

柴崎は、倒れている岩本の胸倉を摑《つか》み上げる。

岩本からは、もう抵抗する意志は感じられなかった。

「……川崎だよ……残念だけど……今からじゃ間に合わない……」

「貴様！」

「おれたちだって、嫌だったんだ……。皆川さんみたいなことは、もうやりたくなかったんだ……。だから、手を引けと忠告したのに……」

「あれも、お前がやったのか……」

「直接は、何もしていない……。だが、知ってはいた……」

岩本は、涙ぐんでいるように見えた。

「何でお前が」

「金だよ。おれの上にもいる」

冗談じゃない！　そんなもので許されるものか！

「川崎のどこだ！」

「手遅れだよ」

「うるさい！　答えろ！」

柴崎は、力の限り叫んだ。

娘の命がかかっているのに、手遅れなどという一言で諦められるものか。

岩本は、目を閉じ、観念したように、その場所を告げた。

柴崎は、辺りを見回し、近くに停車しているRV車に近付くと、ドアを開け、拳銃で脅しながら、運転手の青年を引き摺《ず》り下ろした。

「おい！　何すんだよ！」

柴崎は、叫ぶ青年を無視して、アクセルを踏み込んだ。

頼む。間に合ってくれ——。

二十九

江里菜は、雨に打たれながら震えていた。

寒さゆえのものではない。生まれて初めて味わう恐怖からだ。

いつもと変わらぬ日常のはずだった。朝起きて、学校に行って、友だちと話をしながら帰る。

あの角を曲がって、真っ直《まっすぐ》ぐ歩けば、自宅に辿《たど》り着くはずだった。

それが、いきなり車に連れ込まれ、逃げようとしたら頬を殴られたうえに、男に銃を突きつけられている。

嘘《うそ》だ。こんなの、ただの夢だ。

早く目を覚まさなきゃ。

そうだ。真由ちゃんにメールの返信をしなきゃ。

江里菜は、非日常的な出来事を切り離し、平穏な日常にすがりつこうとした。そうすれば、元の世界に戻れる。そう思った。

拉致《らち》した二人組のうちの一人、猫背の男が携帯電話で誰かと話をしている。

何を話しているのかは、まるで頭に入ってこない。
だけど、酷《ひど》く苛立っているのだけは分かった。
電話を終えた猫背の男が、隣にいる大柄な男と相談を始めた。
日本語ではない。
やがて、大柄な男が江里菜の背中を突き飛ばした。
身体《からだ》に力が入っていないから、踏ん張ることもできなかった。
前のめりに倒れ、胸を強く打った。
そのまま、じっとコンクリートの地面を眺めていると、今度は髪の毛を引っ張られ、
痛みから上体を起こした。
制服がズブ濡《ぬ》れだ。クリーニングに出さなきゃ――。
後頭部に、拳銃が押し当てられる。
わたし、殺されちゃうのかな。
今日の夕ご飯はなんだろう――。
あれ、涙が出て来た。
なんで？　なんで泣いてるの？
「……いやだ。死にたくない！」

江里菜はふと我に返り、這うようにして逃げようとしたが、髪の毛を掴まれていて、身動きが取れない。

お願い！ 助けて！

死にたくない――。

三十

「間に合えよ」

横なぐりの雨で、視界がほぼゼロに近い。

それでも、真田はスピードをゆるめることなくバイクを走らせていた。

ゴミ焼却施設の前を通り過ぎ、丘の頂上へと続く道を突き進む。

見えた！

フェンスに囲まれた釣堀。

コンクリートの地面があり、網目のフェンスで囲まれている。

速度を落としながら後ろを振り返った。赤と白の縞《しま》模様の煙突も見える。

間違いない。志乃の描いた風景と同じだ。

ここは、数年前に営業を停止していて、取り壊されることもなく放置された場所。

駐車スペースに、車が一台だけ停まっていた。

白のプレジデント。公香が言っていたのと同じ車種。

入り口の門が、開いていた。

真田は、再びスロットルを捻《ひね》り、スピードを上げ、バイクのまま敷地の中に侵入した。

雨粒が、コンクリートで弾《はじ》け、靄《もや》を作り出している。

そのぼやけた視界の向こうに、人影が見えた。一人の男と、水槽の横に座り込んでいる一人の少女――。

間違いない。

真田は真っ直ぐその影に向かって突進する。

男が、こちらに向かって右手を突き出しているのが見えた。

――危ない！　逃げて！

耳元で声がした。

聞き覚えのあるその声に、真田は一瞬振り返った。

それと同時に、銃声が二発。

一発は、ヘルメットの横を掠《かす》め、もう一発はエンジン部分に当たった。

「クソッ！」

真田は、衝撃で崩れた車体のバランスを取り戻そうとしたが、ダメだった。

タイヤのグリップが、雨に濡れたコンクリートの地面を捕らえることができず、直角にターンしながら横転した。

バイクは、真田の手を離れ、真っ直ぐ拳銃を持った男に向かって突き進んでいく。

混乱した男は、バイクに向かって銃を乱射する。

しかし、勢いのついた車体は、止まることなく、男をなぎ倒して、管理棟のような建物にぶつかって停まった。

横向きに倒れた状態のまま、その光景を見届けた真田は、痛みを堪えて立ち上がる。

右腕が、だらりと垂れ下がったまま動かない。

「ちくしょう」

折れちまったか——。

まあいい。彼女が生きてるんだから、腕の一本や二本、安いもんだ。

真田は、左手でヘルメットを脱ぎ、呆然《ぼうぜん》とコンクリートの上に座り込んでいる江里菜に歩み寄った。

「大丈夫か？」

その問いかけに、江里菜は涙に濡れた顔を上げ、大きく頷《うなず》いた。

「無事で何よりだ」

心の底からそう思った。真田の中に安堵《あんど》の気持ちが広がっていく。

志乃。運命は変わったぞ。彼女は生きている。

胸の中で呼びかけた。

パン！

黄色い光とともに、破裂音が響いた。

江里菜の上体が揺れ、両目が大きく見開かれた。そのまま、紐《ひも》で引きずられたように水槽の中に落下していった。

視線を向けると、五メートルほど先に、拳銃を持った大柄な男が立っていた。その銃口からは、ゆらゆらと白煙が立ち上っている。

そうだ、犯人はもう一人いたのだった。

銃口を向けられては、蛇に睨《にら》まれた蛙《かえる》。身動きが取れない。

男は、引き金に指をかけ、今にも引いてしまいそうだ。

さあ、どうする――。

志乃は、おれの死までは予見していなかった。だったら、やれるはずだ。

だが、どうやって？　肉弾戦を挑んだところで、拳銃を持った相手に片腕で勝てる見込みなんて、万が一にもない。

諦《あきら》めかけた時、鼻につくガソリンの刺激臭が漂ってきた。

真田は、男に見えないように、ジーンズの後ろのポケットからジッポのライターを取り出した。

親父《おやじ》の形見――。

「頼む。守ってくれよ」

小さく呟《つぶや》いた真田は、覚悟を決めライターを擦る。

しかし、火は点《つ》かなかった。考えてみれば当然だ。親父が死んでから、オイルを補充していない。

「クソッ！　役立たずが！」

真田は吐き出しながら、ライターを男に向けて投げつけた。

男は、振り返るように身体を捻る。ライターは、男の脇《わき》をすり抜けた。

これは、マズイ。真田が身体を硬くした。

ライターは、ゆっくり弧を描きながら、男のすぐ後ろにあるバイクに当たって、カランと音をたてる。

振り返っていた男は、その音に反応して、反射的に引き金を引いた。

男の放った弾丸は、コンクリートに着弾し、流れ出していたガソリンを発火させた。

その小さな火は、雨に打たれながらも、導火線を辿るようにバイクに向かって進んでいく。

「いける！」

真田は素早く身を翻《ひるがえ》し、水槽の中に飛び込んだ。

それとほぼ同時に、ガソリンが爆発を起こし、赤い炎が空に向かって舞い上がる。

男は、熱を持った爆風に押し倒され、前のめりに倒れたまま動かなくなった。

「引き金は、慎重に引けよ」

真田は、吐き捨てるように言うと、すぐに少女の姿を探した。

水深はそれほど深くない。底に足をついても、首から上は水面に出ている。

「いた」

水をかきわけながら、俯《うつぶ》せに浮いている江里菜に歩み寄る。

彼女の周りの水が、血に染まっていた。

「おい！　大丈夫か？」

声をかけても、まるで反応がない。

真田は、左腕で江里菜を抱え、水槽の中を必死に歩く。想像以上の重労働だ。

縁《ふち》に手をかけた時には、体力のほとんどを使い果たしていた。

意識が、段々と遠のいていく――。

「ちくしょう！」

真田は、声を上げ自らを奮い立たせ、江里菜を水から引き上げた。

「おい！　しっかりしろ！」

口元に耳を近づける。息をしていなかった。

どうすればいい？　蘇生《そせい》方法なんて知らない。適当にやってどうにかなるもんじゃないだろう。

今から救急車を呼んで、間に合うものか？

いや、考えている場合じゃない。やらなきゃ、彼女がこのまま冷たくなっていくだけだ。

「動くな！」

真田の目の前に、銃口が突きつけられた。

まだ、残ってやがったか。いい加減、うんざりする。真田は苛立《いらだ》ちを嚙《か》み締め、ゆっくり顔を上げた。

田中の事件の時にもいた刑事だ。

足から血を流し、ボロボロの状態になりながらも、鬼神のごとき形相で、睨みつけている。

「また、あんたか……」

「娘から離れろ！」

娘？　そうか、山縣さんが昔の同僚って言ってたのは、こいつのことだったのか。

「今は、そんなこと言ってる場合じゃないだろ！　早くなんとかしねぇと、死んじまうぞ！」

真田の叫びに、柴崎は戸惑いの表情を浮かべる。

「……」

柴崎は、顎の先から、ポタポタと水滴を垂らしながら、真田の額に銃口を突きつける。

「何を迷ってる！　あんたの娘は息をしてないんだ！　拳銃《けんじゅう》なんて構えている場合かよ！」

もう一度叫んだ。

唇を噛み締めていた柴崎が、ようやく拳銃を仕舞い、娘である江里菜の横に座り込み、彼女の容態の確認を始めた。

「息をしてない」

柴崎が狼狽《ろうばい》した声を上げる。

「だから言ってんだろ！」

その後の柴崎の行動は迅速《じんそく》だった。

手際《てぎわ》よく、娘の心臓マッサージと、人工呼吸の応急措置を開始した。

江里菜の対応は、父親に任せて、真田は救急車を呼ぼうとジーンズのポケットから携帯電話を取り出した。

水が滴《したた》り落ちてきた。電源すら入らない。

「あんた、携帯電話持ってるか？」

人工呼吸を続ける柴崎に訊《き》いたが、大きく首を振るだけだった。

バイクは燃えちまったし、だいいち片腕じゃ車だってまともに運転できない。

頭を抱えた真田の視界に、携帯電話が転がっているのが見えた。

さっきの二人組の男が持っていたやつだ。すぐにそれを取り上げ、通話しようとしたが、こっちも水に濡《ぬ》れ、使い物にならない。

万策尽きた——。

諦めかけた真田の耳に、救急車のサイレンの音が聞こえてきた。それだけじゃない。警察車両のサイレンもまじっている。

志乃が呼んだのか——。

意外に頼りになる。欲を言えば、もう少し到着を早くして欲しかった。

「息を吹き返した！」

柴崎が、大声を上げながら倒れている娘を抱きしめた。江里菜が、苦しそうにゴホゴホとむせ返っている。

感動のご対面だ——。

「終わった……」

真田は脱力してコンクリートの上に大の字に寝転がった。

降りしきる雨さえ、心地良く感じた。

志乃。お前が予見した死の運命は外れたぞ——。

三十一

志乃には、窓の外を眺めて祈ることしかできなかった。

長谷川に現場に出向くことを禁じられ、いろいろ思案した挙句、嘘《うそ》の話をでっちあげて現場に警察と救急車を急行させた。

携帯電話をぎゅっと握り締める。

繰り返し、真田の携帯にコールしたが、まったく通じない。彼は無事なのか？

彼を巻き込んだのは、自分だ。彼にもしものことがあったら――。

焦燥感が苛立ちに代わり、行き場を失い身体《からだ》の中で破裂しそうだ。

不意に、手元の携帯電話が振動を始めた。

真田かと思ったが違った。番号は非通知のものだった。嫌な想像が頭の中を駆け巡る。

「……もしもし」

震える声で電話に出た。

〈葬式じゃあるまいし、暗い声出すなよ〉

聞こえてきたのは、志乃の不安とは大きくかけ離れた、真田の明るい口調だった。

緊張していた分、身体の力が一気に抜け、目から涙がこぼれ落ちた。

「無事……なんですね」

〈ああ。一時は呼吸が止まったが、今は持ち直してる。もう、心配ないそうだ。彼女は、生きてる〉

違う。あたしが、訊きたかったのは、あなたのこと——。

「良かった……」

〈いろいろ、話したいことがあるけど、今は手が離せない。明日でいいか？〉

「ええ。もちろん」

〈泣いてるのか？〉

「いいえ。泣いてません」

志乃は、鼻をすすり、次々と流れて来る涙を拭《ぬぐ》った。

〈今日くらい、泣いてもいいと思うぞ。胸を貸してやれないのが残念だけど〉

真田が冗談めかして言った。

どうして、あなたはいつもそうなの？

「ふざけないで！　あたしは……」

声が喉《のど》に詰まり、それ以上喋《しゃべ》ることができなかった。
全身が、燃えているみたいに熱かった。
〈何を怒ってるんだ？〉
「怒ってなんか……いません」
ただ、待っていることしかできなかった自分が悔しいだけ――。
それ以外の気持ちなんて、あるはずない。
志乃は、自分に言い聞かせる。
〈じゃあ、また明日〉
電話が切れた。
志乃は、窓の外に目を向けた。
あれほど強く降っていた雨が、小雨になっていた。
もうすぐ、雨がやむ。
空気中のスモッグを洗い流し、どこまでも澄んだ青い空が広がることだろう。

第四章　Choice

豪華な社長室といった趣きの部屋だった。

重厚なデスクに本革のジェネラルチェアがあった。

デスクの上には、木枠の写真立てに入れられ、写真が飾ってあった。

そこに写っているのは、小学校の頃のあたし。隣にはママもいる。そして、あの人も——。

写真の中では、みんな笑っていた。

〈ここはどこ?〉

辺りを見回してみる。

壁に背中を預け、座っている男がいた。

父の克明だ。

誰かに殴られたのか、目の周りに痣《あざ》ができていて、唇からも血を流している。

白い壁に背中を預け、座り込んだ父は、苦しそうに肩で呼吸を繰り返していた。

父の前に、一人の男が歩み出た。

顔が、はっきり見えない。

彼は、父に向かって、何事かを語り出した。
それは、耳を覆《おお》いたくなるような内容のものだった。
〈嘘《うそ》だ。嘘だ。そんなの嘘だ。お願い。もう止《や》めて。聞きたくない〉
志乃は、何度も、何度も叫ぶ。だが、その想《おも》いは届かない。
男の左手には、拳銃《けんじゅう》が握られていた。
「撃てよ……」
そう言った父は、諦《あきら》めたように目を伏せた。
拳銃を握る男の手に力が入る。
〈止めて！　撃たないで！〉
その叫びは届かない。
ゆっくりと、引き金が引かれた。
破裂音とともに火花が散り、壁に真っ赤な血が飛び散った。
頭に大きな穴を開けた父は、目を開いたまま絨毯《じゅうたん》の上に倒れ、動かなくなった——。

※　　※　　※

志乃は、飛び起きた。

汗が、ぬるぬると身体《からだ》にまとわりついた。

震える手で顔を覆った。

全《すべ》てが分かってしまった。

なぜ、今の今まで気付かなかったのだろう。冷静に考えれば、思い当たる節はいくつもあった。

それなのに、あたしは――。

いや、本当は、ずっと前から分かっていたのかもしれない。認めたくなかっただけのこと。

あたしの予見する死には、法則があった――。

一

柴崎はベッドの上で眠っている娘の顔を眺め、心の奥底からほっとしていた。

心臓が止まっているのを見た時には、どうなることかと思った。

腕を撃たれてはいたが、弾は貫通していて、傷口を縫い合わせただけですんだ。銃《じゅう》創《そう》が残るだろうが、生きてさえいればいい。

応急措置がもう少し遅れていれば、危なかったそうだ。

幸い、犯行現場となった釣堀は、自宅の近所だった。土地鑑《かん》があったので、どうにか間に合わせることができた。

もし、まったく知らぬ場所だったとしたらと思うとぞっとする。

「わたしが見てますから、あなたは休んでください」

自宅に荷物を取りに帰っていた妻が、病室に戻ってきた。

目を真っ赤に腫《は》らし、顔色も悪い。妻の疲労も、相当なものだと思う。だが、柴崎はその言葉に甘えることにした。

行かなければならないところがある。

「すまない。夜には戻る」

そう告げて、左足を引きずりながら病室を出た。

痛みを堪《こら》えながら、階段を使って一つ上の階にいき、廊下の一番奥にある病室のドアをノックした。

「どうぞ」

寝起きのような声が返ってきた。

「失礼します」

ドアを開けて顔をのぞかせると、ベッドの上の山縣が「よう」という風に、軽く手を上げた。

柴崎の自宅付近で撃たれた山縣も、同じ川崎の救急病院に収容されていた。

「想像していたより元気ですね」

柴崎は言いながら、ベッド脇《わき》の椅子《いす》に腰を下ろした。

「遺言を考えたりしたんだが、必要なかったらしい」

「冗談を。山縣さんは撃たれたくらいじゃ死にませんよ」

「死ぬさ。人なんて、簡単に死ぬ――」

間を置かずに言った山縣の言葉が、胸に突き刺さった。

彼の言う通りだ。人は、簡単に死ぬ。

今回は、たまたま運が良かっただけのこと。生と死。それを分かつのは、ほんのわずかなタイミングの違い。

「山縣さんには、お礼を言わなければなりません。本当に、ありがとうございます」

柴崎は立ち上がり、腰を折った。

「おれは病院のベッドで寝てただけだ。礼なら、うちのやんちゃ坊主《ぼうず》に言ってくれ」

山縣は、表情を歪《ゆが》めながら言った。

心情は複雑だろう。危険から遠ざけてやろうとしていた山縣の意志に反し、あいつは自ら進んでその火中に飛び込んだ。

「真田君でしたっけ……彼」

「本名は、皆川靖文《やすふみ》だ」

いきなり冷水に突き落とされたように、はっとなる。

山縣が口にしたその名前は、柴崎の記憶の奥に、深く刻まれていた。

七年前の事件──。

「皆川さんの子どもは、死んだはずでは？」

「奇跡的に一命を取り留めたんだ。おれの独断で、彼を死んだことにした」

「まさか……そんなことが……」

「監察医の真田さんを覚えてるか？」

「ええ」

「彼に協力してもらったんだ。死体検案書を書いてもらい、里親にもなってもらった」

そういうカラクリだったか。

「どうりで。とんでもないガキだとは思ってましたが、納得ですよ」

「あの無鉄砲さは、父親譲《ゆず》りだな」

柴崎は、山縣と顔を見合わせ、声を上げて笑った。

「しかし、せめて自分に言ってくだされば、微力ながら協力できたのに……」

「お前を信用していなかったわけじゃない。ただ、おれは警察内部に内通者がいるんじゃないかと踏んでいた。そうでなければ、皆川さんが狙《ねら》われる道理がない」

「しかし……」

「どこで情報が広がるか分からない。それに、発覚すれば、立派な犯罪行為だ。それで、おれ一人が抱えることにした」

「そうでしたか……」

山縣の言うように、犯罪行為ではあるが、アメリカのように証人保護プログラムの無い日本においては、他に方法がなかったのは確かだ。

「あの時、皆川さんは、お前と同じように、密売組織の核心に近付きつつあった。もしかしたらという予感はあったのかもしれない。おれに、万が一の時は妻と息子をって、縁起でもないことを言ってた……」

そして、皆川さんの、その予感は的中してしまった。

「それが、山縣さんが警察を辞めた本当の理由だったのですね」

「そんな格好いいもんじゃない。おれ自身、もううんざりしていたんだよ」

山縣はかぶりをふったが、真相は、やはり皆川さんの息子を守るためだったのだろう。

そのまま警察に身を置いていては、せっかく死んだことにしても、情報が漏れる可能性があった。

警察内部に、少数ではあるが密売組織と関わりを持つ人間がいることは事実だ。

「彼に会ったら、礼を言っておいてください」

柴崎は、そう言って背中を向けた。

「お前が直接言え。お互い知らぬ間柄じゃないだろ」

「そうですね。そうします」

「なあ、柴崎。お前はこれからどうするつもりだ？」

「……終わらせますよ。こんなことは」

山縣の顔を見ることができずに、背中を向けたまま言った。

「止めても、無駄なのか？」

「このままにしたら、また家族が狙われます。自分は、事件の黒幕が誰なのか、気付いてしまいましたから……」

知らなければ良かった。知りたくなかった。

だが、もう遅い――。

真実を知ってしまった自分を、奴《やつ》らは許さないだろう。

今の情報を元に地道に外堀を埋めて捜査するという方法もあるが、そうなれば、また妨害工作が行われ、娘や妻に危険が及ぶ。

そんなことはさせない。

一気にカタをつけてやる。もっとも効率的で、もっとも短絡的な方法で――。

柴崎は決意を胸に、ドアを開けて病室を出た。

「おっさん。怪我《けが》は大丈夫か？」

その直後、声をかけられた。

目の前に立っていたのは、真田だった。陽気な口調とは裏腹に、ギプスで固められた右腕を、首から吊《つ》っている。

「おれより、お前の方が酷《ひど》い」

「違いない」

真田は楽しそうに笑った。

「まさか、皆川さんの息子だったとは……」

「おっさん、親父《おやじ》を知ってるのか？」

「おれは部下だったんだ」

「へぇ、うちの親父は、結構偉かったんだな」

思えば、数奇な巡り合わせだった。

今になって考えると、あの日、道路で顔を合わせたのは、単なる偶然ではなかったように思う。

誰かが、導いた――。

非現実的な考えを、頭を振って否定した。

「君には、感謝しなくてはならない。本当にありがとう」

柴崎は、真田に向かって頭を下げた。

見ず知らずの人間の命を救うために、自分の命を賭《か》けた無鉄砲な青年。

彼の父親もそういう人だった。

「男に感謝されても嬉《うれ》しくないね」

「ずい分な言いようだな」

「口が悪いのは、親ゆずりでね」

真田は肩をすくめた。柴崎は思わず笑ってしまった。

確かに親ゆずりかもしれない。

「そうだな」

もう少し、彼と話をしていたい。柴崎は、その願望を抑えて背中を向けた。

「なあ。おっさんはどこに行くんだ？」

「敵討《かたきう》ちだよ」

柴崎は、そう言い残して歩き去っていった。

二

「調子はどうだ？」

真田が病室のドアを開けると、ベッドの上の山縣は、いつになく不機嫌な顔をしていた。

「まったく、お前というやつは。撤収だと指示をしたのに……」

山縣は、うんざりだという風に首を振った。

「小言なら退院したら聞いてやるよ」

「そういう話をしているんじゃない。一歩間違えれば死んでいたんだぞ」

「人事を尽くして天命を待つ。天はおれに味方した」

「お前は、本当に親父さんそっくりだよ」

「冗談だろ。あんなぐうたら親父」

真田は、ベッドの脇にある椅子に腰を下ろしながら言った。

親父は、ほとんど家にいなかった。典型的な仕事人間。

警察だということは知っていたが、具体的にどういう仕事をしていたのかを知ったのは、死んだ後だった。

「お前の親父さんは、優秀な刑事だった」

山縣が、目を細めながら語り始める。

今まで、山縣が親父の話をしたことなどなかった。それどころか、いくら訊《き》いても、話そうともしなかった。

それが、自分から口を開くなんて、いったいどういう風の吹き回しだか。

「親父は、なんで命を狙われたんだ？」

「あの時、皆川さんは大規模な麻薬密売組織を追っていた。当時は、組織犯罪対策課なんてなくてな。麻薬の取締りは生活安全部の仕事だった」

「でもさ、生活安全部が組織を追うなんて、ちょっとおかしくねえか？」

当時は、麻薬の取締りの本業は、厚生省の麻薬Gメンだし、暴力団組織がからんでいるなら、四課の仕事だ。

「その通りだ。その捜査は、皆川さんの独断だった。おれたちも、詳しいことは聞かされていなかったんだ」

「スタンドプレーだったわけだ」

「お前の親父さんは、組織の黒幕に当たる人物に、目星をつけていた。もう少し証拠が集まったら、上に進言して、大規模な捜索をやるって意気込んでた。それで……」

「撃ち殺されちまった」

真田は、山縣の言葉を引き継いだ。

「あの後、おれは警察を辞めた。だが、今になってそれが間違いだったんじゃないかって思うよ」

自分の判断には、絶対の自信を持っているはずの山縣が、ずい分と弱気なことを言う。

「過去の選択を悔やむのはナンセンスだ」

「かもな。だが、考えずにはいられない。もし、親父さんの後を引き継いで捜査を続けていたら、おれも黒幕に辿《たど》り着いたかもしれない」

「でも、あんたも、そしておれも死んでたかもしれない」

「代わりに、たくさんの人が死んだ。密売人。縄張り争いの連中。中毒死した奴。間接的なものも合わせれば、それは膨大な数になる」

深く考えれば、そういうことになるのだろう。

だが、それを言い始めたらキリがない。ダイナマイトを発明したノーベルは、同じジレンマを抱えていたらしいが、実際、彼を責めた人間がどれほどいたか——。

だいたい、そんな先のことまで予測して動ける人間なんていやしない。

「そんなこと、おれに言ってどうするつもりだ？」

真田は、根本的な疑問を口にした。

「さあな。自分で考えろ」

まったく。ふざけたおっさんだ。

三

山縣の病室を後にした柴崎は、妻の軽自動車を借り、新宿にある救急病院まで足を運んだ。

ゆっくり傷を癒《いや》している暇なんてない。

こんなことは、早く終わらせなければ。強い衝動に突き動かされていた。

エレベーターで集中治療室《ICU》のある三階まで上がる。目的の部屋の前には、二人の制服警官が張り付いていた。警察手帳を見せると、敬礼をして応《こた》える。

「悪いが、少し話を聞きたい」

柴崎の言葉に、警官二人は顔を見合わせた。

「あの、医者からは、事情聴取は回復してからにして欲しいと……」

「それでは、間に合わん。もしもの時に、君らは被害者に対して同じ言い訳ができるのか？」

柴崎は警官を睨《にら》みつけた。厳しい物言いだとは思うが、今は悠長《ゆうちょう》に事情を説明している場合ではない。

「し、失礼しました」

警官二人は、恐縮しきった様子で、ドアの前を開けてくれた。

「分かればいい」

柴崎は、病室の中に足を踏み入れる。

個室のベッドには、岩本がいた。鼻からチューブが通され、腕には点滴がつけられている。

あばら骨と、骨盤の損傷。さらには、靭帯《じんたい》も断裂しているらしい。全治三ヶ月の重傷だが、幸い命に別条はない。

岩本には、確かめておかなければならないことがあった。

なぜ、今回の事件で、自分の家族が人質に取られるような事態に陥ったのか？

それは、捜査が核心に迫っていたからに他ならない。

だが、実際は何も知らなかった。いったい誰が北朝鮮からの密輸を手引きしているのか？　見当すらついていなかった。

しかも、岩本が組織と通じていたのだから、捜査を降りたことも分かっていたはずだ。

それなのに、狙《ねら》われた――。

考えられる理由は一つしかない。

「無事で何よりだ」

柴崎の言葉に、岩本はうんざりだという風に表情を歪《ゆが》めた。

「……本気で、心配したわけじゃないでしょ……」

「そうだ」

見透かされた本心を、隠そうとはしなかった。

すでに崩壊した信頼関係。娘の命を盾にとるような奴に、どう思われようと関係ない。

「何も喋《しゃべ》りませんよ」

「なんでおれが取調室じゃなく、わざわざこんなところまで出向いたか分かるか？」

「そんなの……」

岩本が言い終わる前に、顔面に拳《こぶし》を叩《たた》き込んだ。

両手で顔を覆《おお》っている間に、柴崎は拳銃《けんじゅう》を抜き、岩本の眉間《みけん》に突きつけた。

「いいか、おれは、お前のつまらない冗談に付き合ってるほど暇じゃない。娘の命を守るためだ。今すぐ引き金を引くくらいの覚悟はできてる」

「……おれにわざわざ訊かなくても、あんただって、もう分かってんだろ」

「じゃあ、やっぱりあの男が関係しているのか？」

「そうだ」

「北の製品か？」

「ああ」

「そこで稼いだ資金は、北に送金されてるんだな？」

「そこまでは知らねえよ。それに、あいつは北の人間じゃない」

「なんだと？」

「もう、あんたに話すことは何もない。あいつを殺《や》るんだろ。頼むから、確実に殺ってくれ。じゃないと、おれは殺されちまう」

岩本が涙目で訴えてきた。

散々、他人を欺《あざむ》いておいて、立場が代わったら平気で仲間を売る——。

「おれには関係ない」

柴崎は、岩本のすがるような顔に背を向け、病室を後にした。

これで、裏で何が起こっていたのかは理解できた。

山縣に頼まれた依頼内容。それは、奇《く》しくも事件の核心に触れていたのだ。

娘を殺そうとした二人組も逮捕された。それに今、弱気になったのか、岩本が簡単に情報を口にした。

ここまでくれば、自然と黒幕の存在も明らかになるだろう。外堀から埋めて徹底的に潰《つぶ》す。それが正しい方法なのだとは思う。

だが、そうすれば、また家族が危険に晒《さら》される。

今度は、守れないかもしれない。

もう、後戻りのできないところまで来てしまった。

終わらせる方法は一つしかない——。

病院を出て、再び軽自動車に乗り込んだ柴崎は、覚悟を決めてアクセルを踏み込んだ。

四

真田が病院の正面玄関から出たところで、クラクションが鳴らされた。

視線を向けると、黒いミニバンが見えた。運転席には公香の姿がある。

「お迎えご苦労」

言いながら真田は助手席に乗り込む。

「何を偉そうに言ってんのよ。三人しかいないのに、二人ともそんな様《ざま》で、明日からどうするつもりよ」

「公香は、いい姑《しゅうとめ》になれるよ」

「うれしくないわよ。それより、どこに行くの？」

「彼女の家だよ」

「何であたしが、あんたのデートの送り迎えをしなきゃいけないのよ」

公香が、厚みのある唇を尖《とが》らせる。

「成功報酬貰《もら》わないと、来月の家賃払えないだろ。おれと山縣さんは、しばらく仕事できないわけだし、その分、公香がバイトでもする？」

「するわけないでしょ！」

「じゃあ、行きますか」

「はいはい」

公香は、不満そうに返事をしながらも、車をスタートさせた。

「怪我《けが》は大丈夫なの？」

運転をしながら公香が問いかけてきた。

いつもは、少しキツイ印象のある目が、今日は頼りなく感じる。一応、心配はしてくれているようだ。

「腕が折れただけ。あと、打撲が数カ所。擦り傷は数え切れない」

「ボロ雑巾《ぞうきん》みたいね。運がいいんだか、悪いんだか」

公香が鼻で笑った。

「生きているんだから、運はいいんだろ」

「そうね。あなたが無鉄砲なだけだわ」

そこを言われちゃ、否定できない。

「それより、頼んでおいた件、どうなった？」

「ダッシュボードの中に入ってる」

公香が、顎《あご》で指す。ダッシュボードを開けると、以前頼んでいた中西家と長谷川の携帯の通話記録が出てきた。

「サンキュー」

「もう、事件は終わったわけだし、今さらこんなの調べてどうするつもり？」

「事件とは別で、ちょっと気になってることがあってね」

真田は、資料を手に取り、目を通していく。

おかしな点は特に見当たらない。まあ、もともとあまり期待していたわけじゃないし——。

諦《あきら》めかけた時、最後の行に目が止まった。

この時間。確か、江里菜を助けに入る少し前だ。

まさかな——。

真田は、ポケットの中から、昨日、現場で拾った黒い携帯電話を取り出す。

電源を入れようと試みたがダメだった。水に濡《ぬ》れちまったからな——。

「なあ。この電話の発信・着信の履歴って調べられるか?」

「データを吸い上げれば、たぶん大丈夫よ」

公香が、答える。

「お願いしちゃおっかな」

「高くつくわよ」

「ええ!　金取るの?　そんな余裕ねぇよ!」

「じゃあ、身体《からだ》で払ってくれる?」

「そういうのってさ、男が女に言う台詞《せりふ》だろ」

「知らない?　最近は女の方が強いのよ」

五

志乃は、書庫の中で、過去の事件の資料を全《すべ》て見返していた。

山中に生き埋めにされた男――。

発狂した母親に、滅多刺しにされ殺された娘――。

仲間に囲まれ、際限なく殴られ、激しい痛みの中で死んでいった青年――。

死んだ人の苦しみが、想《おも》いが、身体の中に流れ込んできて、胸が押し潰されそうになる。

ページをめくる手が震えた。

あたしが予見する死は、ランダムに選ばれたものではなかった。ある条件のもとに、選ばれたものだった。

そして、父の死は、おそらく最後になるだろう。

どうすれば――。

「よう！　どうして、そんなに暗い顔してんだ？」

志乃に声をかけてきたのは真田だった。

彼を案内してきた寛子が「失礼します」と一礼して部屋を出て行く。

真田は、ギプスで固定された右腕を、首から吊《つ》り、顔は擦り傷だらけだった。足も、少し引き摺《ず》っているように見える。

「こんなにボロボロで……」

声が震え、目が熱くなる。

もう、これ以上彼を巻き込むことはできない。

「あの少女を助けられたんだ。安いもんだよ」

「……あたしは」

それ以上、言葉が出て来なかった。

「どうした？」

真田が跪《ひざまず》き、志乃に視線を合わせる。

真《ま》っ直《す》ぐな視線に見つめられ、心の裏側から温かいものが滲《にじ》み出てくる。

「なんでもありません」

志乃はかぶりをふったが、動揺を隠し切れていないのが、自分でも分かる。

「また、夢を見たんだな」

真田の問いかけに、志乃は唇を嚙《か》んだ。

もう、彼を巻き込みたくない。多分、これで終わるのだから。それに──。

「父が……殺されます」

想いとは違う言葉が出た。

「分かった。場所は？」

首を振った。

「多分、社長室だと思うんですけど、父は幾つも会社を持っています。どこかは……」

「長谷川さんはいるか？」

何かを思いついたのか、真田は大声で叫ぶ。

「お呼びですか？」

すぐにドアが開き、何事かといった様子で長谷川がやって来た。

「次に死ぬのは、彼女の父親だ」

「な、なんですって？」

普段は冷静な長谷川も、真田の言葉に驚きの声を上げ、志乃の前に跪き「お嬢様。本当ですか？」と声をかけてくる。

志乃は、頷《うなず》いて応《こた》えた。

「なんてことだ……」

長谷川が、喘《あえ》ぐように漏らした。

「殺害される場所が、社長室らしいんだが、あんた、心当たりはあるか？」

真田は、早口で長谷川に質問を投げる。

「お嬢様。部屋の特徴は覚えていますか？」

長谷川に話を振られて、記憶の糸をたぐる──。

「赤い絨毯《じゅうたん》。それに、デスクの上に家族の写真が置いてあったわ」

「デスクの上に、家族の写真を置いてある場所は、一つしかありません」

志乃の言葉を受け、長谷川が断言した。

「場所は、分かるのか？」

「ええ。鍵《かぎ》も預かっています。ご案内しましょう」

「分かった」

真田が勢いづいて立ち上がり、白い歯を見せて笑った。

「連れて行ってください」

志乃は、真田の腕を摑《つか》んで懇願した。

どんなに説得されようと、今回ばかりは、指示に従うつもりはない。何があっても、一緒に行く。

「分かった」

志乃の心情を察したのか、真田は諦めたように言うと、後ろに回り込み、左手で志乃の車椅子《くるまいす》を押し始めた。

「いけません！　もしものことがあったら、どうするおつもりですか？」

長谷川が、二人の前に立ちはだかった。

「彼女の目を見ろよ。何を言っても無駄だぜ」

真田が一方的にそう告げると、長谷川を押し退《の》け、車椅子を押しながら玄関のドアを開けて外に飛び出した。

志乃は、陽射《ひざ》しの強さに、思わず目を細める。

庭を抜け、道路に出ると、黒いミニバンが待っていた。

「ちょっと、真田！　なにやってんのよ！　駆け落ちでもするつもり？」

髪の長い女性が、運転席から顔を出し、もの凄《すご》い剣幕でまくし立てる。

しかし、真田はそんなことにはお構いなしに助手席のドアを開けた。

「文句言ってる暇があったら、手伝えよ」

「それが人に物を頼む態度？」

彼女は、文句を言いながらも運転席から降りてきた。

肉感的な魅力を持った彼女の容姿に、志乃は羨望《せんぼう》の眼差《まなざ》しを向けた。

「初めまして、志乃ちゃん。私は、前から知ってたけどね」

彼女は、ペロッと舌を出しながら言った。

「あ、あの……」

「自己紹介がまだだったわね。私は公香。このバカと同じ事務所の従業員なの」

志乃の疑問を先回りして、公香が言った。

「そういうの、後にしようぜ」

真田が左手を大きく振りながら抗議する。

志乃は、公香と真田の手を借りて、ミニバンの後部座席に収まった。

「せまいけど、我慢しろよ」

真田は、そう言うと、車椅子を折りたたんで荷台に乗せてから、助手席のシートに収まった。

「待ってください」

いざ、出発という段階になって、長谷川が後部座席に乗り込んできた。

「お嬢様……」

「あたしは、降りません」

志乃は、長谷川の言葉を遮るように、強い口調で言った。

「分かりました……」

長谷川は、目を細め、小さく頷いた。

「で、どうすんの？　出発していいのかしら？」

公香が、振り返りながら言う。

「お願いします」

言ったのは、長谷川だった。

六

柴崎は、六本木ヒルズの、地下駐車場にいた。

ターゲットである男が経営する会社の本社がある場所だ。

乗って来た軽自動車のシートに身体を預け、フロントガラス越しに白のレクサスをじっと眺めていた。

入り口にいた守衛の男に警察手帳を見せ、車上荒らしの見回りだと言って通してもらった。

すぐにでも行動を起こしたいところだが、それではダメだ。

邪魔が入る可能性がある。確実にやらなければ、次はない。昂《たか》ぶる気持ちを抑え、時を待つ。

来た！

目当ての人物が、通路を抜けて駐車場に入って来るのが見えた。

彼の後ろには、運転手兼警護担当らしき男がつき従っている。

男に後部座席のドアを開けてもらい、白いレクサスに乗り込んで行った。

後部座席のドアを閉めた男は、すぐに運転席に回り、車をスタートさせた。柴崎もエンジンを回し、追跡を開始する。

必要以上に接近して、気付かれたら全て終わりだ。

慎重に距離を測る。

車は、六本木通りから、外苑《がいえん》東通りに入り、そのまま新宿方面に向かう。

落ち着け。柴崎は、焦《あせ》る気持ちを鎮《しず》めながら、頭の中でこれからの行動をシミュレーションする。

やがて、車は新宿副都心の高層ビルの駐車場に滑り込んで行った。一九八〇年代からある、三十階建ての古い建物だ。

何処《どこ》に行くのか分かれば、こっちのものだ。

先回りして追い込めばいい。柴崎は車を路上駐車し、エントランスに飛び込むと、案内板から、会社名を探す。

あった。最上階である三十階にその名前を見つけた。

「中西運輸アネックス」

六本木に本社があるのに、なんで、ここに別館《アネックス》が。うさん臭いとはこのことだ。

タイミングよく到着したエレベーターに乗り込み、三十階のボタンを押した。

ゆっくりと上昇していく箱の中で、柴崎は懐《ふところ》の銃を取り出し、セーフティーレバーを外し、グリップを握ったままジャケットのポケットに突っ込んだ。

三十階でエレベーターを降りると、真っ直ぐ廊下を進み、「中西運輸アネックス」とプレートのかかったドアの前で立ち止まった。

ドアの真正面に立っていては、怪しまれる。

柴崎は、柱の陰に身を隠す。

しばらくして、話し声とともに、誰かが近付いてきた。

一人ではないのか？

柱の陰から、顔を出し、様子を窺《うかが》う。

運転手兼警護担当の男とヒソヒソ話をしながら歩いて来る中西克明の姿が見えた。

アンティーク家具の輸入会社の社長という仮面を被《かぶ》り、長年にわたって北朝鮮からの密輸に加担してきた男。

「……逃がすな。殺せ」

ドアの前まで来たところで、中西は押し殺した声で言った。

そうやって、他人に指示を出し、自分の手は汚さない。一番薄汚い野郎だ。

運転手の男は、カードキーでロックを解除してドアを開ける。

中西は、ポケットに手を突っ込んだまま、部屋の中に入って行く。

入り口を入ってすぐのところにあるスイッチを入れ、部屋に灯《とも》りが灯るのが見えた。

今、電気を点《つ》けたということは、中に誰もいないということだ。

チャンスは、今しかない。

柴崎は、柱の陰から飛び出し、ドアを閉めようとしていた男の側頭部めがけて、拳《けん》銃《じゅう》のグリップを振り下ろす。

ぐわっ！　声を上げながら崩れ落ちるところに、膝《ひざ》蹴《げ》りをお見舞いした。

気を失い、ドアに挟まるかっこうで床に転がった。

中西が、何事かと驚愕《きょうがく》の表情を浮かべている。

柴崎は、拳銃で中西を牽制《けんせい》し、男を引き摺《ず》りながら部屋に入り、手錠を出して素早く男を入り口の脇《わき》にあるバーに繋《つな》いだ。

「貴様、何をしている」

銃口を向けられながらも、中西がいきりたつ。

「折り入って、お話ししたいことがあるんです。二人だけで」

柴崎は、できるだけ冷静な口調を心がけながら、中西に詰め寄る。

二十畳ほどの広さの部屋だった。大きなデスクと、豪華な応接セットが置かれているが、それだけしかない部屋。

中西の隠れ家のような場所なのかもしれない。

「アポの無い来客はお断りだ」

「シャブの話なんですがね」

「いくら欲しいんだ?」

中西が、蔑《さげす》んだ口調で言った。

シャブをネタに、金をせびりに来たハイエナくらいに思っているのだろう。金を払う約束をし、後で始末しようという魂胆に違いない。

そういう汚い野郎だ。

柴崎は、湧《わ》き上がる怒りに任せて、銃のグリップで中西の顔面を殴りつけた。

「おれの顔をよく見ろ！　なぜ、おれがここにいるか、分かるだろ！」

毛足の長い絨毯の上に蹲《うずくま》る中西に、銃口を突きつけて叫んだ。

「知らん」

中西が、恨めしそうに顔を上げながら言う。

柴崎は、間髪容《い》れず引き金を引いた。

破裂音とともに、中西の左の肩から血しぶきがあがった。

「がぁ！」

中西は、肩を押さえて、水揚げされた魚みたいに絨毯の上をのたうち回る。

「お前は、自分の会社を隠れ蓑《みの》に、北朝鮮からの麻薬密輸の手引きをしてきた」

「知らない」

「嘘《うそ》を吐《つ》くな。この会社だって、マネーロンダリングのための会社だ」

「知らん！」

中西は、這《は》いつくばるようにして、部屋の奥に逃げていく。

「今さら、逃げられると思ったのか？　お前は、おれの娘まで手にかけようとした。

絶対に許さない」

「違う……。私じゃない」

中西は、額から大量の汗を流しながら言う。

「この期《ご》に及んで、まだそんなつまらない言い訳をするのか？」

柴崎は、血が滲《にじ》む中西の左肩を力いっぱい踏みつけた。

「あぁ！」

叫び声を上げた中西は、さらに這いつくばって逃げる。

柴崎は、ゆっくりと中西を追い詰めていく。

やがて、中西の行く手は壁に阻《はば》まれ、逃げ道を失った。

「なぜだ？　なぜ日本人のお前が、北朝鮮の密輸に荷担した？」

そこが、柴崎には分からなかった。

中西は、多くの会社の社長職を務めてきた男。地位も、名声も、金もある。危険な商売に手を染める必要はない。

彼が、北朝鮮出身の人間であったなら、その理由も分かるが、それは岩本に否定された。

「こうするより他、仕方なかったんだ……」

「何が仕方ないだ！　そうやって、お前はいったい何人の人間を死に追いやった！」

中西のその一言は、柴崎の怒りの感情を爆発させた。

多くの人の命を奪っておきながら、それを仕方ないの一言で済ますのか？

それで、許されるとでも思っているのか？

命を奪われた者は、救われるのか？

冗談じゃない！

「終わりだ。全部」

柴崎は、壁に背中を預け、座り込んでいる中西の眉間《みけん》に、照準を合わせて銃を構え、グリップを強く握り締めた。

この引き金を引けば、全《すべ》てが終わる――。

七

真田は全速力で走っていた。

時間の余裕はない。

志乃のことは、公香と長谷川に任せ、真田だけが先行する。

三十階建ての高層ビルのエントランスを抜け、閉まりかけたエレベーターのドアを強引にこじ開けて身体《からだ》を滑り込ませた。

息が切れる。

エレベーターに乗り合わせたサラリーマンらしき男が、怪訝《けげん》な眼差《まなざ》しを向けてくるが、そんなものに構っている時間はなかった。

三十階に到着するなり、ドアをこじ開けるようにして、再び走り出した。

この廊下の奥に、目指す場所がある。

ドアノブの下に付いたカードリーダーに、長谷川から受け取ったセキュリティーカードを差し込む。

ピピッ。電子音とともにロックが解除された。

「よし！」

真田は、一気にドアを開け、室内に入り込む。

入り口を入ってすぐのところに、手錠で繋がれたスーツ姿の男が伸びていた。

何が起こってやがる？

視線を走らせると、部屋の奥に二人の男の姿があった。

一人は、壁に背中を預け、肩から血を流し、喘《あえ》ぐように息をしている。あれは、志乃の父親、中西克明。

そして、もう一人。彼に拳銃を突きつけている男。

あれは、柴崎だ——。

何を考えてやがる。

「終わりだ。全部」

柴崎が言った。

「止《や》めろ！ バカ！」

真田は、重心を低くして、柴崎に向かって突進する。

虚をつかれた柴崎は、惚《ほう》けたような表情でこちらを振り返り、動きを止めた。

左肩を、柴崎の鳩尾《みぞおち》めがけてぶつけ、タックルの要領でそのまま床の上に押し倒し、馬乗りの状態になると、素早く床に落ちている拳銃を拾った。

「なぜ、邪魔をする！」

喚《わめ》く柴崎を拳銃で牽制しながら、真田はゆっくりと立ち上がる。

「訊《き》きたいのはこっちの方だ。なぜ、殺す？」

真田は、柴崎の獣のように血走った目を見ながら言った。

いったいどうしちまったんだ？ 今朝会った時に、何かおかしいと思ってはいたが、まさか人を殺そうとしているとは——。

「こんな男、死んで当然だ」

「死んで当然の奴《やつ》なんかいるか。あんた、それでも警察の人間か？　親父《おやじ》が見たら泣くぜ」

「そいつは、お前の両親を殺害した男だぞ！」

よろよろと立ち上がりながら、柴崎が吼《ほ》えた。

その言葉は、真田の心の奥底を揺さぶった。

「な、なんで……」

意味が分からない。こいつは、金持ちで、権力のあるおっさんだろ。そんな奴が、たかが警察官の一家を殺害する理由がない。

「この男は、長年にわたって、麻薬の密売の手引きをしてきた。お前の親父さんは、この男の存在に気付いた。そして、殺された」

柴崎の言葉が脳を揺さぶる。

「嘘だろ」

「事実だ。このまま奴を生かしておけば、また誰かが死ぬ。お前の両親のようにな」

真田は、力なく座っている中西に視線を向けた。

「本当なのか？」

中西は何も答えなかった。目を閉じ、肩で大きく呼吸を繰り返している。

「答えろ！ お前は、おれの両親を殺したのか！」

真田は、さらに追及の声を上げる。

「……お前の両親など知らん」

「彼は、皆川刑事の息子だ」

柴崎の言った一言に、中西の両目が大きく見開かれた。まさに、驚愕の表情。

「息子？ バカな。ありえない……」

中西は、醜く肥えた頬を震わせながら言った。

柴崎の言ったことは本当だろうか。

絨毯《じゅうたん》の上で、血を流している親父の姿が、真田の脳裏に浮かんだ。

お袋は、壁に脳みそをぶちまけた。

仕事一筋の親父に、口やかましいお袋だった。

家族全員が揃《そろ》うことなんて、ほとんどなかった。それでも、ちゃんとつながっていた。その存在を感じていた。

志乃から聞いた話が、思い起こされる。

親父は「頼む……止めてくれ……」そう懇願した。だが、その願いは聞き入れられることなく、お袋は撃ち殺された。

「お前が、両親を殺したのか？」

「……私は、殺してない」

「直接殺してなくても、殺す指示を出したのはお前だろ！」

柴崎が中西の言葉を打ち消すように言った。

中西は、下唇を噛《か》み、目を伏せた。

その反応だけで充分だった。

柴崎の言葉は真実だ。

「冗談じゃねぇ！　あんたの娘は、消えていく命を守ろうとして必死になっていたっていうのに、あんたは奪い続けたのか！」

「撃てよ……」

中西が、目に涙を浮かべ、掠《かす》れた声で言った。

真田は、引き金に指をかけた――。

八

そのとき、予備のカードで部屋に入ってきた志乃が目《ま》の当たりにしたのは、夢とまったく同じ光景だった。

父である克明が、壁に背中を着けて座り、その眉間には、銃口が向けられている。

夢の中では、その顔をはっきりと認識することができなかったが、今はしっかりと見える。

あれは、真田だ——。

「ちょっと、何やってんのよ！」

隣に立つ公香が声をあげた。

その声は、真田に届いているはずだ。だが、彼は振り返ろうともしない。

「銃を下げてください」

長谷川も声を上げる。

だけど——。

父の死を予見した夢の中で知ってしまった。

父は、麻薬の密売に関与し、そして、真田の両親殺害に関与していたのだと――。

それが、あたしの予見する死の法則だった。

直接的、もしくは間接的に、父の行う麻薬の密売にかかわり、死ぬ運命にある人たちが、夢の中に現れていた。

その痛みや苦しみ、そして悲しみを現実として見てしまっているあたしには、彼を止め、パパを助けることなどできない。

「銃を渡せ！　君が人殺しの業《ごう》を背負うことはない。おれが、彼を殺す！」

柴崎が、真田に向かって手を差し出す。

「何言ってんのよ！　真田！　止めな！」

「うるさい！　邪魔するな！　この男が何をしたのか知っているのか！」

柴崎が、公香を睨《にら》みながら声を張り上げる。

「知るわけないでしょ！」

公香が負けじと熱のこもった感情をぶつける。

共鳴するように、感情の波が高まっていく――。

「皆川さん一家を殺したのは、この男だ！」

「な……」

「それだけじゃない。この男が密輸した麻薬のせいで、たくさんの人間が死んだ」

「だからって、殺していいわけないでしょ！ それで誰か帰ってくるの？ それに、こうなったらこの男は大きな事件の証人じゃないの。殺さずに自白させるのが警察でしょ！」

公香がヒステリックに声を上げる。

「旦那様《だんな》、お逃げください！」

長谷川が、いつになく鋭い眼光で中西を睨みながら叫んだ。

「殺すなら早くやれ！」

中西は、歯を食い縛り、挑むような視線を真田に向ける。

「うるさい！ 黙れ！ 黙れ！ 黙れ！」

真田が、こめかみの血管を浮き上がらせ、狂ったように叫ぶ。

混沌《こんとん》とした感情の渦が、ここにいる人間を巻き込み、予見したのと同じ結末に向かって突き進んでいく。

父を撃ち殺す男が、真田だったとは――。

あたしが、彼に夢の話をしなければ――。

「おれは、あんたを許せない……」

真田が、冷ややかな視線を中西に向けた。

引き金にかかる指に力が入る。

もうダメだ。志乃は思わず目を閉じた。

銃声が響き渡る。

静寂——。

火薬の臭《にお》いが、部屋に立ち込めてきた。

全《すべ》ては、最初から決まっていたのかもしれない。この結末を迎えるために、あたしは死を予見し、彼と出会った。

でも、そうだとしたら残酷すぎる。

「……予見した死の運命を変えてくれるって言ったのに」

意識することなく、言葉がこぼれた。

「そうだ。約束した」

答えたのは、真田だった。

え？　志乃は、混乱の中、目を開けた。

真田の背中が見えた。

銃口は、天井を向いている。中西は、あんぐりと口を開け、放心状態になっていた。

九

「なぜ……撃たなかったのですか……」

真田は、志乃の質問に、苦笑いを浮かべた。

「殺すつもりだったさ」

その言葉に嘘《うそ》はない。ついさっきまで、本気で中西を殺す気だった。

「なぜ？」

「志乃の声が聞こえたんだ……」

「あたしの？　声？」

——止めて！　撃たないで！

耳の奥で、そう叫ぶ声が聞こえた。

その声は、多分、この場にいる志乃が言ったのではないだろう。

過去に、夢を見た志乃が叫んだ言葉。おれが殺されかけた時も、アタッシュケースのおっさんの時も、この前の少女の時も、彼女の声を聞いた。

きっと、予見した死を変えるポイントは、彼女の叫びだったのだろう。

他の夢でも彼女は叫んでいたのに、誰にも聞こえなかったのだろうか？　それとも、おれだけに聞こえるのだろうか？　なぜだ。

どうだったにしろ、志乃の悲痛な叫びを聞いてなお、引き金が引けるほどおれの感情は薄くない。

「もう終わりだ。あんたを殺したって、誰も戻ってこない」

真田は、拳銃《けんじゅう》を床に放り投げた。

「殺せ……そうじゃないと、私は……」

中西が、真田の足にしがみつき、子どものように泣きじゃくった。

警察に捕まるくらいなら、死んだ方がマシだってか？

「いいや。殺さない。あんたは、生きて罪を償う必要がある。そうだろ？」

真田は、言葉の矛先を柴崎に向けた。

「だが、また家族が狙《ねら》われるかもしれない……」

柴崎が奥歯を嚙《か》み締める。

「指示を出していたのは、こいつなんだろ。だったら、平気だろ」

「……」

「それにさ、こいつを殺したら、あんたの娘は殺人者を親に持つことになるぞ」

「しかし、こいつは皆川さんを」

「あんたの仕事は、人を殺すことなのか？　親父《おやじ》なら、そんなこと認めないと思うぞ」

果たして、本当に親父がそう言うかは確証が持てないところだ。

自分自身、志乃の声が聞こえていなければ、確実に引き金を引いていた。許せない気持ちが無いと言ったら嘘になる。

だけど、多分、これでいいのだと思う。

しばらく俯《うつむ》き加減に黙っていた柴崎だが、やがて手錠を取り出し「そうだな」と呟《つぶや》き、中西に歩み寄った。

「違う！　私の命なんか、いくらでもくれてやる！　これじゃダメなんだ！　頼む！　殺してくれ！」

中西は、最後まで手錠にかかることより、死ぬことを望み、抵抗を続けた。

だが、その願いは空《むな》しく、手首に手錠がかけられる。

「パパ。もう止《や》めて」

志乃が、車椅子《くるまいす》を前に進め、中西に向かって声をかけた。

その一言で、中西の抵抗が止まった。

虚《うつ》ろな瞳《ひとみ》で、娘である志乃の顔をマジマジと見つめ、何事かを呟いた。

柴崎が、中西の右腕を引っ張って歩かせる。

「これで、良かったのでしょうか？」

志乃が、声を震わせながら言った。

「運命なんて、結局のところ、何を選択するかってことだと思う。おれは、彼を殺さないという選択をした。だから、未来が変わった。それだけのことだ」

自分でも、クサいことを言っているとは思う。だけど、別に格好をつけたわけじゃない。本気でそう思った。

「あたしは……」

志乃の頬を、涙が伝った。

真田は、志乃の前まで歩み寄り、跪《ひざまず》いて視線を合わせた。

薄く、形のいい唇をぎゅっと結び、何かに耐えているような表情だった。

「もう大丈夫。終わりだ」

そう言って、真田は志乃の肩に触れた。

その瞬間、志乃は腰を折って激しく嗚咽《おえつ》を始めた。

今まで蓄積した負の感情の波を洗い流すように、泣きじゃくった。

柴崎に連れられて、ドア口まで歩みを進めた中西が、その声に反応して振り返った。
細められたその目は、まるで何かを覚悟しているようにも見えた。
長谷川が、何事かを呟きながら、ドアの方に視線を向けた。
次の瞬間、パンと乾いた破裂音がした。
中西の真っ白なシャツが、みるみるうちに真っ赤に染まっていく。
何が起こった？
視線を走らせる。
ドア口のところに、手錠でバーに繋《つな》がれた男が、ほくそ笑《え》んでいるのを捕らえた。
その手には、十センチほどの銃身の、小型拳銃が握られていた。
暗殺用に使用される中折れ式の小型拳銃、デリンジャーだ。装弾数は確か二発。
あと、一発残っている。
「中西！」
柴崎が、中西を抱え込むようにして大声を上げる。
「パパ！」
志乃が叫ぶ。
「このクソ野郎が！」

真田が咆哮《ほうこう》しながら、男に向かって猛然と突進する。

男は、素早くその銃口を自らのこめかみに突きつけると、何の迷いもなく、まるで作業のように引き金を引いた。

至近距離で弾丸を食らい、血飛沫《しぶき》を撒《ま》き散らしながら横倒しになった男は、そのまま動かなくなった。

「しっかりしろ！」

柴崎が、声を上げ、頰を叩《たた》きながら中西をゆさぶる。

だが、反応はほとんどなかった。

助からない——。直感的にそう感じた。

「救急車を！」

長谷川が叫ぶのと同時に、公香が素早く携帯電話を取り出す。

「クソ！　なんでだ！　なんで……」

真田は、どうしようもない現実を目《ま》の当たりにして、心の奥底から悔しさが込み上げてきた。

振り返ると、志乃が茫然《ぼうぜん》自失の表情でそこにいた。

志乃が予見した内容とは違ったが、導き出された結果が同じなのであれば、意味がない。

「パパは……」

志乃の問いかけに、首を振ることしかできなかった。

「いやぁ！」

絶叫に近い志乃の叫び声が響き渡る。

真田には、ただそれを見ていることしかできなかった――。

十

翌日、夜になってから、柴崎は捜査の合間を縫って、再び山縣の病室に顔を出した。

「話は聞いたよ」

山縣は、柴崎の顔を見るなり、静かに目を伏せた。

「後味が悪いですよ」

柴崎は、自嘲《じちょう》気味に笑いながらベッド脇《わき》にある、丸椅子に腰を下ろした。

「中西のことか？」

「はい」

真田が止めに入ったことにより、柴崎は中西を殺すことができなかった。

しかし、結果として中西は死んだ。

被疑者死亡という、最悪の結果で事件は幕を下ろした。全てが終わってしまったかのような虚脱感に襲われる。

「捜査は、まだ続けるんだろ」

山縣が言った。

昔の上司の言葉は、胸に大きく響く。

「もちろんです」

柴崎は握り締めた拳《こぶし》に力を込めた。

自分は、こんなところで立ち止まっている場合ではない。同じことを繰り返さないためにも、必ず事件の全容を摑《つか》んでみせる。

改めて、その決意が胸の中に広がっていく。

「そんな忙しい時に、こんなところにいていいのか？」

山縣の言葉に、柴崎は本来の目的を思い出した。

「これを、お渡ししようと思いまして……」

柴崎は、持ってきた封筒を山縣に差し出した。

「これは?」

「以前、頼まれた調査の報告です」

報告と言っても、中に入っている資料は一枚だけだ。

署に戻った時に、以前、公安へ照合に出していたものの返答が戻ってきていた。

事件が終わった今となっては、もう関係ないと思ったのだが、その内容に目を通し、考えが変わった。

封筒の中身を引っ張り出し、黙読していた山縣の顔色が変わった。

「現段階では、まだ同一人物である可能性があるというだけですが、どうしても気になってしまって」

柴崎は、声を低くする。

「柴崎。お前は、つくづく厄介ごとを持ち込む男だな」

「厄介ごとついでに、もう一つ」

「なんだ?」

「ちょっと気になることがあります」

「気になること?」

「中西が死ぬ直前、妙なことを言ったんです」

「妙なこと？」

「志乃、逃げろ……と」

山縣が、ぐっと奥歯を嚙み締めた。

「すまない、柴崎。今すぐおれを事務所に運んでくれ」

「無茶言わないでください。傷はまだ……」

「いいから、早くしろ。また人が死ぬぞ！」

十一

「まだ、何かある……」

真田は、事務所のデスクの椅子に座り、腕組みをしながら呟いた。

事件は、一応の終結を見たが、胸の内に拭《ぬぐ》いきれない不安が蠢《うごめ》いている。

原因は、目の前にあるメモ。

そこには、一昨日、真田を撃った男が持っていた携帯電話の着信履歴が書かれていた。

ついさっき、馴染《なじ》みの業者がデータの復旧に成功したと連絡してきたものだ。

「ぼうっとしちゃって。また、あの娘のこと考えてるの？」

晩飯の買出しから戻って来た公香が、皮肉を並べながら向かいのデスクに座った。

「なんかさ。最近、本当にからむよな」

「からんでなんかないわよ。恋に悩む青年をかわいそうだと思ってるだけよ」

「ガキじゃあるまいし、そんなことで悩むかよ。引っ掛かることがあるんだよ」

「彼女に恋人がいるとか？」

公香が冷やかしの声を上げながら、パソコンの電源を入れる。

「そんなんじゃねえって。これ見てみろよ」

真田は、着信履歴が書かれたメモ用紙を公香に手渡した。

「ああ。前に調べたやつね。これがなんだって言うの？」

公香が、興味なさそうに言う。

「その電話番号、これと一致するんだよ」

真田は、デスクの上の名刺と以前調べてもらった別の通話記録を公香に投げて渡した。

「ちょっと、これって……」

さっきのメモともうひとつの通話記録、名刺の電話番号を確認して、公香の顔色が変わった。

「タイミング的にも、無関係ってことはないだろ」

「そうね。あんた、まさか何かしようってんじゃないでしょうね」

「ここまで来て、放っておくわけにはいかねぇだろ」

真田が言うのと同時に、けたたましい音をたてて事務所のドアが開いた。

姿を現したのは、病院での寝間着のままの山縣だった。

傷も考えずに、無理して走ったらしい。肩で大きく呼吸を繰り返している。

「ちょっと、山縣さん。何やってるんですか？」

公香が驚きの声を上げる。

「お前ら、すぐに準備しろ！　出るぞ！」

いつも冷静な山縣が、公香の言葉を無視して、怒鳴るような口調でまくしたてると、自分のデスクの下から、棒状の黒い布のケースを引っ張り出す。

「行くって何処《どこ》に？」

「決まってるだろ！　中西志乃のところだ！」

真田の質問に、山縣が被《かぶ》せるように言った。

「志乃のところに？　なんで？」

「急がないと、彼女は死ぬ」
山縣のその言葉に、真田の心臓がドクンと大きな音を立てた——。

十二

志乃は、泥の中から這《は》い上がるようにして目を覚ました。
部屋の中は、薄暗かった。時計に目を向ける。午後十時を指していた。
疲労から、つい深い眠りに落ちてしまったようだ。
身体《からだ》中に汗がまとわりついている。頭が重い。
何か夢を見たような気がするが、思い出せない。
カチャ。
微《かす》かに音がして、ゆっくりとドアノブが回る。
部屋に入って来たのは、寛子だった。
彼女は、怯《おび》えた様子で、ベッドの脇に歩み寄って来る。
「どうしたの？」
「お逃げください」

寛子は、声を低くしながら言った。

「どういうこと？」

「理由は、後で。とにかく、急いで」

早口で言った寛子は、車椅子《くるまいす》を用意し、それに乗り移るように促す。

「ねえ、どうしたの？」

志乃がその肩に触れた瞬間、寛子の側頭部が破裂し、仰向《あおむ》けに倒れた。

血しぶきが、志乃の顔に飛び散る。

部屋の中に、入ってくる影があった。

あれは、長谷川──。

「なぜ？　どうして寛子さんを……」

声を上げたのと同時に、ベッドの上に押し倒され、口と、手を押さえつけられた。

抵抗しようと身体をよじるが、うまく動かせない。

「彼女を殺したのは、裏切ったからですよ。ヤバイ筋から借金を抱えて、保険金掛けて死ぬしかないところを助けてやったのに、あなたを殺す段取りになったら、急に怖《おじ》気《け》づいたんですよ」

長谷川は、口元に笑みを浮かべると、黒光りする拳銃《けんじゅう》の銃口を、志乃の眉間《みけん》に突きつけた。

「すぐに終わります」

長谷川は、そう言うと志乃の身体の上に跨《また》がり、口をガムテープで塞《ふさ》いだ。

——なぜ？

長谷川の突然の暴挙に、志乃は混乱した。

「あなたは、なぜ？　そう思ってるでしょ。私がこの家にいたのは、この日のためなのですよ」

志乃の顎《あご》を摑みながら、長谷川が言う。その目は、ナイフのように冷たく光っていた。

——この日のため？　なにを言っているの？

「すぐに、殺すのは簡単だ。しかし、ただ殺してしまうのは惜しい」

長谷川は、そう言って舌なめずりをする。

その表情に、品性はない。ただの獣。彼は、羊の皮をかぶった狼《おおかみ》だったのか。

「七年も我慢したのだから、少しくらい楽しませてもらいますよ」

この光景、どこかで見たことがある。

志乃の頭の中に、さっき見た夢の記憶が蘇《よみがえ》ってきた。

それは、死を予見したものだった。そして、その対象は——。

あたしだ——。

志乃は、両手を振り回して必死に抵抗を試みる。しかし、爪《つめ》を立てて引《ひ》っ掻《か》くのが精一杯だった。

「騒いだって、誰も来ない」

長谷川は、引きつった笑いとともに、志乃の左頬に拳を振り落とした。

耳鳴りがする。意識が、遠のいていく。

いつも傍にいてくれて、信頼していた長谷川が、こんな恐ろしい男だったとは。

長谷川の手が、ゆっくりと身体に伸びてくる。

皮膚が粟立《あわだ》つ。

——もうダメだ。

そう思った瞬間、目の前が真っ白になった。

眩《まぶ》しい。

「だ、誰だ！」

長谷川が、手を翳《かざ》しながら慌《あわ》てた様子で声を上げる。

「おれだよ。忘れたか？」

――この声は、真田。

彼が来ているの？　どこ？　段々と志乃の目が慣れてきた。

ぼんやりとではあるが、ドア口のところに立っている真田の姿が見えた。

※　※　※

間に合ったようだ。

真田は、ほっと胸を撫《な》で下ろす。

足元に、人が倒れているのに気付いた。

頭から血を流し、大きく見開かれた両目から、涙が零《こぼ》れ落ちているように見えた。

坂井寛子は、間に合わなかった――。

「ずい分なことをしてるじゃねぇか。長谷川……。違うな趙泰英《チョウテヨン》だっけ？　本名は」

真田の言葉に、長谷川が表情を硬くした。

「なんのことだ……」

「この期《ご》に及んでしらばっくれるな。刑事のおっさんが教えてくれたよ。指紋から割り出したんだ」

山縣から資料を見せられた時は、真田も驚いた。

まさか、長谷川が北朝鮮の工作員だったとは――。

しかも、彼が所属していたのは、朝鮮労働党中央委員会の傘下《さんか》にある作戦部と呼ばれる組織で、要人暗殺、破壊工作、拉致《らち》、軍事偵察などを任務にしている部署だ。戦闘力が高く、米国のグリーンベレーや、英国の空軍特殊部隊《SAS》に匹敵するとさえ言われている。

エリートスパイってわけだ。

「貴様！」

長谷川が、怒気を孕《はら》んだ声を上げ、ベッドから降りて銃口を真田に向ける。

今にも引いてしまいそうな勢いだ。

「あんたは、志乃の監視役だった。彼女の父親を利用して、麻薬密輸を実行するために、秘書という名目を使い、彼女を人質にとっていた」

とんでもない話だ。やり方が卑劣過ぎて、反吐《へど》が出る。

「密輸？　人質？　私が？」

長谷川は、無表情のまま否定したが、無視して話を続ける。

「理由はいろいろある。まず、昨日、少女を殺害しようとしていた男たちが、携帯電話を持っていた。それに着信があった。あんたの番号からね。非通知だったが割り出せた」

それで謎《なぞ》が解けた。

「迂闊《うかつ》だったよ。まさか、あんなに早く場所を突き止められるとは思ってなかったからな」

長谷川はとうとう観念したようだ。

「あんたは、監視役だから、本来であれば、実行部隊の連中に連絡をとることはない」

長谷川は、身分を隠し、志乃に気取られないよう、彼女を人質にしておく必要があった。

だから、ある程度の情報は持っていただろうが、実行部隊がどういう動きをしているか、その詳細までは摑《つか》んでいなかった。

おそらく、ホテルの取引の時も、知らずに足を踏み込んでしまったのだろう。

「さすがにあの時は焦《あせ》ったわけだ。早く殺して撤収しろ。大方、そんな指示を出したんだろ」

「彼女の、死を予見する能力ってのは、厄介な存在だったよ」

「そうだろうな。彼女が予見していたのは、ただの死じゃない。あんたらの麻薬密売にからんで、死ぬ人間ばかりだった」

おれたちは、ついさっきその結論にいきついたが、おそらく長谷川はずっと前からその法則に気付いていたのだろう。

身分を隠していた長谷川は、志乃に協力するふりをして、別の方向に誘導するという方法を取った。

「それから、志乃の父親が撃たれた時、おれは勘違いをしていた」

「勘違い？」

長谷川が眉間に皺《しわ》を寄せた。

「新宿のビルでの一件だよ。あんたは、運転手が拳銃を持っているのに気付いて彼を見たんだと思っていた。だけど、本当は違う。あんたが、目で〈殺せ〉と指示を出したから、あいつは拳銃を構えたんだ」

「君の妄想なんじゃないのか？」

「それだけじゃない。七年前、うちの家族を襲った実行犯はあんただろ」

「……」

何も言わなくても分かる。

鋭い眼光が、日本刀のような光を放っている。

「おれはしぶといんだよ」

「そのようだな」

長谷川は、銃口を真田の胸に押し当てながら言った。

トカレフだ。この距離で引き金を引かれたら、ひとたまりもない。

「もう一回撃つか？」

志乃に視線を向ける。ベッドの上の彼女は、悲しげな目で、じっと二人のやり取りを見ていた。

何かを言おうと、口をモゴモゴさせている。

「そうだな。今度は、間違いなく殺す。だが、その前に、仲間はどこにいる？」

「仲間？」

「とぼけるな。そんなことを伝えに、お前一人で、しかも丸腰でやって来たわけじゃないだろ。どこにいる？」

こいつも、バカじゃないみたいだ。すっかり先を読まれている。

だが、そう簡単に喋《しゃべ》ったら作戦が台無しだ。

「銃を下げたら教えてもいいぜ」

「交渉できる立場か？　喋らないなら、彼女を撃つだけだ」

長谷川が銃口を志乃に向ける。

仮にも、相手は工作員だ。右腕をギプスで吊《つ》った状態。銃を奪い取ろうとしても、二人揃《そろ》って撃ち殺されるのがオチだ。

真田は、舌打ちをする。

「分かったよ。窓の外を見てみろよ」

顎で指し示した。

長谷川は、拳銃で牽制《けんせい》しつつ、後ろ向きに歩きながら窓に近付くと、カーテンを開け、外の様子を窺《うかが》う。

次の瞬間、窓ガラスが砕ける音がして、長谷川の手から銃が滑り落ちた。

今だ――。

真田は、手を押さえて呆然《ぼうぜん》とする長谷川の鼻っ面《つら》に、左の拳《こぶし》を叩《たた》き込んだ。

利《き》き手じゃないが、不意打ちを食らった格好になった長谷川は、糸が切れた操り人形みたいに、膝《ひざ》から崩れ落ちた。

窓の外に目を向けると、塀の上に競技用のエアライフルを持った山縣と、双眼鏡を持った公香の姿があった。

「言い忘れてたけど、うちのボスは、ライフル射撃のオリンピック代表候補だったんだ」

真田は、倒れている長谷川に向かって吐き捨てた。

まあ、聞こえてないだろうけど——。

「大丈夫か?」

真田は、ベッドの上の志乃に歩み寄り、口のガムテープを剝《は》がしてやった。

「どうしてこんな無茶を!」

自由になると同時に志乃は金切り声を上げた。

「助けたかったからに決まってんだろ」

「あなたという人は、どうしていつもそう……」

志乃は、その先、言葉を続けることが出来ずに、真田の胸にしがみついて泣いた。

「大丈夫。もう、大丈夫だから」

真田は、言いながら志乃の背中を撫でる。

安堵《あんど》の空気に包まれたと思った矢先、素早くこちらに向かって突進してくる影があった。

あれは、長谷川——。

油断した。気絶したフリをしていやがった。

手にはナイフを持っている。刃渡り十五センチはあろうかというコンバットナイフだ。

長谷川は、ナイフを振り上げジャンプする。

マズい！　思うのと同時に、真田は志乃に突き飛ばされた。

志乃が、真田の盾になるように両手を広げた。

「やめろ！」

真田の叫びは届かない。

ナイフが、振り下ろされるその瞬間、長谷川の身体《からだ》が何かに弾《はじ》かれたように、回転しながら後方に吹っ飛んだ。

振り返る真田の視界に映ったのは、柴崎の姿だった。

ドア口に立つ彼の銃から、硝煙《しょうえん》が立ち上っていた。

「助かったよ」

「礼なら、山縣さんに言え」

柴崎は、銃を仕舞いながらぶっきらぼうに答えた。

なるほど。山縣は、作戦が失敗した時の保険を用意しておいたってわけだ。

まったく。抜け目のないおっさんだ――。

十三

柴崎は、新宿中央公園に足を運んだ。

金属の塔の脇《わき》にあるベンチに腰を下ろすと、反対側の小道から背中を丸めた山縣が歩いて来た。

事件から三日。

一人で歩き回れるくらいには回復したようだ。

「大丈夫なんですか？」

「ああ。時々傷口が痛むが、それくらいだ」

山縣はのんびりした口調で言いながら、隣に座った。

「彼の方は？」

柴崎は、あれ以来真田に会っていない。

気になって訊《き》いてみた。

「ぴんぴんしてるよ。もう少し痛めつけられた方が良かった」

「そうかもしれませんね」

あの、向こう見ずな姿が頭に浮かび、思わず頬がゆるんだ。

事件以来、激務に追われているので、こんな風に笑ったのは久しぶりだ。

「捜査の方は？」

山縣が、前を向いたまま呟《つぶや》くように訊いた。

やはり気になるのだろう。まあ、そうでなければ、こんな場所に呼び出したりはしない。

「まだ全部ではありませんが、岩本の証言、中西の会社や逃走中の山城竜彦の店への手入れで、概要は見えてきました」

「それで――」

山縣が先を促す。

「趙が、中西家と接触をもったのは十五年も前だったようです」

「日本に潜入した時期と一致するな」

「ええ。まだ初代が健在で社長だった当時、バブルが崩壊しました。海外への投資事業にも手を出していたために、壊滅的なダメージを受け、中西運輸は経営の危機にあったようです」

「それで、趙は金策に奔走している中西運輸の初代に接近したわけだな」

山縣が、足元に視線を落としながら言った。

「そうです。趙は、中西に大規模な取引の話を持ちかけました」

「取引？」

「ええ。東新建創という、店舗の内装デザイン、設計を専門にやっている会社との取引です」

東新建創の社長は日本人だったが、あくまで雇われ社長で、実際の経営権は、北朝鮮とつながりを持つ人間が摑んでいた。

年間で百店舗以上の内装を手がける実績を持ち、店舗の規模によって差はあるが、内装費は一店舗あたり一千万円程度。その中で、家具の占める割合は三割から四割。年間で三億はくだらない。

そんな会社がからむ外国の家具の買付け輸入を請け負う仕事だ。北朝鮮が背後にいるとは夢にも思わない初代には、断る理由などなかった。

金に困っている人間に、救いの手を差し伸べることで、相手の懐《ふところ》にもぐりこむ。工作員の常套手段《じょうとうしゅだん》だ。

柴崎は、三枚の写真を山縣に手渡した。

中西運輸の初代が、未成年と思われる少女と裸でからみ合っている姿が収められている。周辺に写りこんでいる男女の様子から、その種の淫靡《いんび》なパーティーと想像される。

「これは？」

山縣が、表情を歪《ゆが》めながら訊いた。

「中西家の家宅捜索で、長谷川、つまり趙の部屋から出てきました。趙たちは、取引をエサに、初代をスキャンダラスな罠《わな》にはめたと思われます」

「この写真が彼の弱みになったんだな」

柴崎は、頷《うなず》いて答えた。

この醜態を、マスコミにばらされたくなければ――と脅迫されていた。

「初代は、密輸に荷担せざるを得ない状況に陥ったわけです」

柴崎は、言いながら煙草《たばこ》に火を点《つ》けた。

「だからって、直接麻薬の密輸に荷担するものか？」

「直接ではありません」

柴崎は、ぐっと奥歯を嚙《か》んだ。

「どういうことだ？」

「手口はこうです。趙たちは、北からロシアにシャブを運びます」

「ロシア経由か――」

山縣が、呟くように言った。

「ええ。彼らは、ロシアで家具に覚醒剤《かくせいざい》を隠し、東新建創との取引の一環としてその家具を中西運輸に輸入させたんです。中西運輸は、それを指定された店に販売する」

「その店が、シャブを捌《さば》くってわけか」

柴崎は、頷く。

輸入家具の店のオーナーで、シャブの売人だった山城。

ここで話がつながる。

「おそらく、輸入品に何が仕込まれているかは、知らされてなかったでしょう」

ただ、指定された場所から、指定された品物を輸入し、指定された店に納める。

たった、それだけのこと――。

「本当に、知らなかったのか？」

「その時は、知らなくても、後で教えられたでしょうね」

「それが新しい弱みになるってわけか」

「はい」

お前らが黙認して、日本に輸入したのは麻薬だった――きっとその真実を後になって知らされたのだろう。

知ってしまったが最後。一回の約束が二回になり、三回になり、やがてルーチン業務のように流れていく。

警察に駆け込めば、それは自らの破滅を意味する。

「税関で引っ掛かるだろう」

山縣が、写真を柴崎に返しながら言った。

「その辺は、巧妙でした。山城の店を徹底捜索してわかりましたが、彼らは、覚醒剤を板状に固め、サイドボードの板を二重にして、その間に挟み込んだんです」

「X線で見ても判断は難しいな……」

山縣が唸《うな》った。

袋状にしてあれば、発見できたかもしれない。

だが、板状にして隙間《すきま》なく挟み込むことで、X線を通しても、それが覚醒剤であることはまず判別できない。

「麻薬探知犬はどうなる？」

山縣が、改めて質問を投げかけてきた。

「ワックスですよ」

「ワックス？」

「ええ。日本ではあまり馴染《なじ》みがないんですが、国外のアンティーク家具などは、芳《ほう》香性《こうせい》のあるワックスを使用するらしいんです」

「香《かおり》も楽しむ家具ってわけか？」

「ええ。そうです」

「そんなもので犬の嗅覚《きゅうかく》が惑わされるものなのか？」

「ワックスに使われているのは、オレンジやレモンなどの柑橘系《かんきつけい》のオイルなんです。それが、大量に塗られていたんです」

「犬の弱点……」

「そうです」

犬は、嗅覚がいい分、酸と柑橘系の臭《にお》いを極端に嫌う習性がある。

柑橘系の臭いを含んだ、犬避《よ》けスプレーなるものが存在するほどだ。

それだけではなく、覚醒剤を仕込み、一度バラした家具を組み立てる段階で、犬の嫌うホルムアルデヒドの成分を含んだ接着剤を大量に使用している。

日本では、シックハウス症候群の原因になるとして、使用が制限されているものだ。

鼻や口の粘膜に炎症を起こさせる働きがある。

こうなれば、犬の嗅覚など無いに等しい。

「だが、分からない。なぜ、一般の企業である中西運輸を巻き込んだんだ？」

山縣が、眉間《みけん》に皺《しわ》を寄せた。

「一般の企業だから、巻き込まれたんですよ」

「どういうことだ？」

「近年、北に通じていると目される関連企業に対する公安の監視が厳しくなっています。少しでも、不自然な動きがあれば、すぐに探られる」

「なるほど。それで、敢《あ》えて無関係なところを引き摺《ず》り込む……」

「そうです。よりセーフティーな密売ルートを確保できるわけです」

新手のやり口だ。カモにされているのは中西運輸だけではないかもしれない。

「二代目の中西は、いつからそのことを知ってたんだ？」

本人が死んでしまった以上、山縣の質問に明確な答えは返せない。だが――。

「おそらくは、かなり早い段階で知っていたのではないかと思います」

「婿《むこ》養子じゃ、どうすることもできないか――」

山縣が遠い目をした。

中西が婿養子でなかったとしても、その状況を止めるのは、難しかっただろう。嵌《は》められたとはいえ、企業のトップが淫行を働いた上に、麻薬の密輸に荷担していたことが暴露されれば、会社が崩壊するのは目に見えている。

「初代が心臓発作で死去した後、克明が会社を引き継ぐことになったんですが……」

「その頃は、もう抜け出せなくなっていたわけだ」

柴崎の言葉を引き継ぐようにして山縣が言った。

「はい」

「中西が、家に寄り付かなくなったのは、家族を巻き込みたくなかったからだな」

山縣の言葉に頷いて答えた。

克明は、別宅に住み、仕事に没頭《ぼっとう》した。

「ただ、中西も黙って従っていたわけではないようです」

「抜け出そうとしていた」

ここからが、本当の悲劇の始まりだった。

「これは趙に抱きこまれていた岩本が吐いたことですが、七年前に中西の妻の命を奪った自動車事故。あれは、趙の工作だったようです」

口にしただけで、身震いする。

趙は、反抗した克明に対する見せしめのために、彼の妻を事故に見せかけて殺害した。

これを期に、克明は趙への反抗を止《や》めた。

さらに趙は、七年前に仕掛けた交通事故をきっかけに、志乃の世話をするという名目で、中西家に住み込んだ。

ヘルパーの資格を持つ坂井寛子も、弱みを握られて、志乃の監視役をさせられていたようだ。

「本人の知らぬうちに、あの娘は人質にされていたわけだ」

「はい」

柴崎は、返事をしながら奥歯をきつく噛んだ。

中西のやったことは、社会的に許されるものではないが、親として他に選択肢がなかったのも事実だ。

「後味の悪い事件だな」

山縣が、はらはらと舞い落ちる枯葉を目で追いながら言った。

通り過ぎる風が冷たかった。

「同感です。克明の娘も、この先一人で生きていかなきゃならない。どうしてやることもできませんが……」

「彼女は、大丈夫だよ」

言いながら、山縣が立ち上がった。

大丈夫？　とてもそうは思えない。足の不自由な少女が、たった一人で生きていかなければならない。まして、犯罪者の娘というレッテルを貼《は》られるわけだ。

「楽観的ですね」

「うちの無鉄砲な坊主《ぼうず》は、世話好きでね。お前だって知ってるだろ」

山縣が、笑みを浮かべながら言った。

そうだった。あいつが、たった一人になった彼女を放っておけるはずがない。

「山縣さんも大変ですね」

「お前もうちで働くか？　結構楽しいぞ」

山縣は笑いながら来た道を歩き去って行った。

近々、もう一度彼らと再会するような気がした。

それが予感なのか、願望なのかは判然としなかった——。

十四

志乃は、車椅子《くるまいす》に座ったまま、エントランスから、じっと窓の外を眺めていた。

その心の内に反し、青く澄んだ空が広がっている。

月桂樹《げっけいじゅ》が、風に煽《あお》られて、大きく揺れた。

本当に、たくさんのことが一度に起きて、未《ま》だ、気持ちの整理ができていない。

信頼していた長谷川は、パパの会社と、地位を利用するために用意周到に近付いた男だった——。

長谷川の優しさや、笑顔は、全《すべ》て偽物《にせもの》で、それを見抜くことができず、気付かぬうちに人質にされていた。

パパは、ママやあたし、そしておじい様の名誉を守るために必死だった。

そのために、長谷川の言いなりになり、麻薬の密輸に手を染めた。

ずっと一人で苦しい想《おも》いをしてきたのに、それを知ろうともせず、冷たく接していた。

やったことは、決して許されることじゃない。関わった、たくさんの人たちが、苦しみの中で死んでいった。

それは、あたしが一番よく知っている。

でも――。

もしかしたら、人が死ぬ夢は、死んだママが見せていたのではないか？　そんな気がしている。

志乃は、目を細めて天井を見上げた。

吹き抜けの天井に、シャンデリアがぶら下がっているのが見える。

一人でこの家にいると、自分がいかに小さい存在なのかを思い知らされる。

みんないなくなってしまった。

パパは、あたしを守ろうとしていた。寛子さんも、脅迫されて協力者になりながらも、最後に助けようとしてくれた。

あたしだけが何も知らないで、みんなに甘えて生きていた――。

正直、これからのことを考えると、絶望的な状況に、心が折れそうになる。

でも、それでも、生きていかなければならない。

たくさんの人の犠牲の上に立っているからこそ、途中で投げ出してはいけない。

都合のいい考え方かもしれないけれど――。

エントランスに、インターホンの音が響き、思考が中断された。

※　※　※

真田は、右手をギプスで固定したまま、自転車を走らせていた。

片手運転では、思ったようにスピードも出せない。

続けて二台もバイクをオシャカにしちまったとはいえ、よりにもよって自転車はないだろう。

山縣に不満をぶつけてみたが、無視されてしまった。

一時間ちかくかけて、ようやく志乃の屋敷に辿《たど》り着いた。

インターホンを押すと、しばらくして「はい」と志乃の声が聞こえてきた。

「おれだ。真田」

言うのと同時に、鉄柵《てっさく》の門扉《もんぴ》が自動で開いた。

自転車を押しながら、アスファルトの小道を進み、玄関の前で自転車を停めた。

ドアを開けると、エントランスに志乃の姿があった。

「こんな格好でごめんなさい。来るなら、事前に連絡をくれれば……」

白の長袖《ながそで》のカットソーに、デニム地のパンツを合わせていた。確かにラフな格好ではあるが、

「そういうのも似合うよ」

「そういう言い方って……」

志乃は、むくれたように口を尖《とが》らせた。

色々と辛《つら》い想いをしただろうに、最初に会った時より、表情が豊かになったように思う。

「入ってもいいか？」

「おもてなしはできませんけど」

そう言って、志乃は器用にハンドリムを操作しながら、エントランスの脇《わき》にある客間のような部屋に案内してくれた。

最初に来た時に、通されたのと、ほぼ同じ造りの部屋だった。

「今日は、突然、どうしたんですか？」

「個人的に、訊《き》きたいことがあってね」

真田は、部屋の中央にあるソファーに腰を下ろしながら言った。

「訊きたいこと？」

志乃の表情が曇った。

「夢は、まだ見るのか？」

依頼された、一連の事件は、一応の終わりを迎えた。

だが、志乃と交わした約束は、まだ終わっていないと思っている。死の運命を変えてやるという言葉は、あの時の少女だけに向けた言葉ではない。

自分に何ができるかは、分からないが、何とかしてやりたい。

「夢は見るわ」

志乃が、哀《かな》しげに目を伏せた。

「そっか……」

「でも、人が死ぬ夢じゃないの。誰でも見るような、他愛《たわい》もない夢」

イタズラっぽく舌を出しながら志乃が言った。

「そりゃ何よりだ」

驚かせやがって。

「真田さんのお蔭《かげ》です」

「で、どんな夢を見るんだ？」

「海岸線。海に太陽の光が反射して、キラキラ光っていて。バイクが走っているの。

あたしは、バイクのバックシートにいて……」

志乃が、頰を赤らめ俯《うつむ》いた。

「なんだよ。途中でやめんなよ」

「いいの。気にしないで。ただの夢だから」

志乃は、かぶりをふった。

「気にしないでって言われると、余計、気になる」

真田は、ソファーに踏ん反りかえった。

志乃は、人の死を予見する夢は見なくなったとはいえ、前途多難な生活が待っている。

母親はおろか、父親も使用人だった女も死に、とんでもない悪党だった秘書は刑務所の中。

会社は崩壊寸前だし、この家も近いうちに差し押さえられることになるだろう。

リハビリして脚が治ったとしても、犯罪者の父親を持ってしまった彼女に、まっとうな働き口が見つかるとは考え難い。

「なあ、志乃。これから、どうするか決まってんのか？」

「これから？」

「そう。これからの生活をどうするか」

「まずは、脚のリハビリをしなきゃ」

「その後は？」

「まだ、決めてないわ……。正直、どうすればいいか分からないというのが本音」

志乃は、首を振りながら言った。

「そっか……。なあ、うちで、働いてみるか？」

真田の誘いは、その場の思いつきだった。

だが、口にしてみると、どんどんその気になっていく。我ながらいいアイデアだと思う。

「え？　あたしが？」

志乃は、目を丸くした。

※　※　※

「ちょっと！　あのバカ！　何言い出してんのよ！」

志乃の屋敷の前に停車したミニバンの運転席で、公香は怒りを爆発させた。

真田の携帯電話に仕込んだ盗聴器から、とんでもない内容の会話が漏れ聞こえてきたからだ。

よりにもよって、彼女をスカウトするなんて、いったいどういうつもり？

公私混同もいいとこだ。

助手席では、山縣が呑気《のんき》に声を上げて笑っている。

「笑い事じゃないわよ！」

公香は、山縣を睨《にら》みつける。

それでも、山縣は笑うのをやめなかった。

「なんで？」

目尻《めじり》に皺《しわ》を寄せ、人懐《ひとなつ》っこい笑みを浮かべている。

「なんでじゃないわよ！　本当に、志乃ちゃんがウチに来ちゃったらどうすんのよ！」

「別にいいんじゃないか。もう一人くらい事務所に入るだろ」

「スペースの問題じゃない！」

「じゃあ、どういう問題なんだ？」

「それは……」

怒りがエスカレートしていく公香に対して、山縣は飄々《ひょうひょう》としていた。

「ジェラシーの問題か？」

「そんなんじゃないわよ！」

山縣の冷やかしに、公香は金切り声を上げながらも、半ば諦《あきら》めていた。

きっと、山縣のことだから、志乃を受け入れてしまうんだろう。

行き場を無くした人を見て、放っておけるタイプの人間じゃない。

自分や、真田の時がそうであったように。

この人は、そういう人だ——。

なんだか、怒っているのがバカらしくなってきた——。

※　※　※

「あたしは……」

志乃は、返答に詰まってしまった。

真田の誘いは嬉《うれ》しかった。だが、自分なんかが加わったところで、足を引っ張るだけのような気がする。

「大丈夫だって。なんとかなるさ」

真田が、いつもの軽い口調で言う。

彼が言うと、本当になんとかなりそうな気になるから不思議だ。

「やってみようかな」

志乃は恥ずかしそうに頬を赤らめた。

「じゃあ、決まりだな」

真田が、左手を差し出してくる。

それを握りかえした志乃は、ふっと自分の表情が緩むのを感じた。

彼は、本当に不思議な人だ。自分勝手に振る舞っているようにみえて、周りの人間をどんどん巻き込み、変えていってしまう。

あたしが背負った業《ごう》は、あまりに深い。

一人で背負ったら、重圧に押し潰《つぶ》されてしまうだろう。

だが、彼が近くにいてくれるなら、向き合っていけそうな気がする。何かが変わりそうな気がする。

自然に笑みが零《こぼ》れた。

真田は「山縣さんに報告する」と勢い込んで、部屋を飛び出して行った。

志乃は、その背中を見送りながら、ふとフランスの寓話《ぐうわ》詩人が残した言葉を思い出した。

人は、運命を避けようとしてとった道で、しばしば運命に出会う——。

By the way

インターホンが鳴ったのは、夜になってからだった。

事件以来、事情聴取のために頻繁《ひんぱん》に警察の人が出入りしていた。志乃《しの》は、今回もそれだと思っていた。

玄関を開けると、そこには公香《きみか》が立っていた。

細身のジーンズにブラウスというラフな出《い》で立《た》ちで、髪を後ろでひとまとめにしている。

「こんばんは」

公香は、自然な笑みを浮かべながら言った。

だが志乃は、すぐに微笑《ほほえ》み返すことができなかった。

――なぜ？

その疑問が頭の中をぐるぐる回っている。

「入っていい？」

公香は肩をすくめて、おどけた調子で言う。

「ど、どうぞ」

志乃は、公香を玄関の脇《わき》にある応接室に通した。

紅茶を入れようとしたのだが、「すぐに帰るから」と公香はそれを断り、ソファーに身を沈めた。

志乃は車椅子《くるまいす》のハンドリムを操作して、公香の前まで移動する。

「あのさ志乃ちゃんが、うちの事務所に入るって件だけど……」

公香は、バツが悪そうに俯《うつむ》き加減に話を切り出した。

――やっぱりそうか。

志乃は、公香が訪れた理由を悟ると同時に、落胆の色が広がっていくのを感じた。

――うちに来ないか？

昨日は、真田《さなだ》の言葉が嬉《うれ》しくて快諾したものの、心の底に不安が張り付いていたのも事実だ。

足の不自由な自分が探偵事務所に入ったところで、何かの役に立てるはずもないのだ。

「ご迷惑ですよね」

志乃は、膝《ひざ》の上で両手を握り合わせながら言った。

「迷惑？」

公香が首を捻《ひね》った。

「あたしなんかが、みなさんと一緒にいたら、きっと足手まといになります。ですから、昨日のお話は、無かったことにして下さい」

志乃は、感情を込めないように意識して、一息に言った。

目頭がじわっと熱くなった。

悔しさなのか、それとも——それが、どういう感情から来るものなのか、自分でも分からなかった。

「勘違いしてるみたいね」

公香は、しばらくポカンとしたあと、急に肩を震わせて笑い始めた。

——なぜ、笑ってるの？

志乃は、その答えを求めて公香に目を向けた。

「あの……」

「あ、ごめんね」

「いえ」

「もしかして志乃ちゃん、私がうちの事務所に入るなって言いに来たと思ってたでしょ」

公香が、楽しそうに目尻《めじり》に皺《しわ》を寄せながら言った。

「それは……」

志乃は口ごもった。

それ以外に考えられなかったからだ。

「そりゃ、真田が急にあんなこと言い出すから、最初は驚いたわよ。あいつ、後先考えずに思いつきで動くじゃない」

「そうですね」

真田の顔を思い浮かべた志乃は、自然と表情が緩んだ。

公香の言う通り、真田は思いつくままに行動し、かかわる人を振り回す。それでいて、気がつくと、すっかり彼のペースに呑込《のみこ》まれてしまう。

「志乃ちゃん、やっぱり真田のこと好きなんでしょ」

公香が、急に真顔になる。

「違います。そういうんじゃないです」

志乃は、慌《あわ》てて否定した。

だが、公香は目を細め、疑いの視線を志乃に向けている。

「隠してもダメ。志乃ちゃんは、顔に出るタイプだから」

本当にそんなつもりはないのだが、妙に意識してしまい、顔が火照《ほて》るのを感じた。

「ほらね。赤くなった」

「本当に違うんです……」

「とにかく、真田はダメ。計画性は無いし、自分勝手だし、子どもっぽいでしょ。それに、無茶してボロボロになる。見ててヒヤヒヤするのよ」

「そうですね」

志乃は、同意の返事をしながらも、公香の気持ちに気づいてしまった。

だが、それを口に出すことはできなかった。言ってしまったら、何かが壊れてしまいそうな気がした。

「志乃ちゃんには、もっと優しい落ち着いた男がいいわね」

公香は、肩をすくめるようにして言った。

――やはり自分は探偵事務所に入らない方がいい。

志乃は、そんな風に感じた。

ファミリー調査サービスの面々には、他の人が立ち入れない強い絆《きずな》のようなものがある。

「だから違います」

その名の通り、ファミリー（家族）のような仲間なのだろう。自分が入り込めるような隙《すき》は無い。

「あの、あたし……」

「そうだ。本題を忘れてた」

公香が、志乃の言葉を遮るように言った。

「何でしょう」

「ちょっと言いにくいんだけど……」

公香が視線を逸《そ》らした。

「はい」

志乃は、息を呑んで公香の言葉を待った。

「この家って、志乃ちゃん一人で住んでるんだよね」

「ええ」

「実はさ、道路拡張の工事があって、事務所を立《た》ち退《の》かなきゃならなくなっちゃったんだ」

「そうなんですか……」

「引っ越すにしてもお金は無いしで困ってたの。それで、もし迷惑でなければ、この家の一角を事務所として借りたいなって思って」

「へ？」

あまりに想定外の言葉に、志乃は思わず首を捻った。

「嫌？」

「いえ、違います。あたしは、てっきり……」

「うちに来るなって言うと思ってた？」

「はい」

志乃は、素直に返事をした。

それを見て、公香は声を上げて笑った。

「そう思ってるような気がしてたんだ」

「え？」

「さっきも言ったけど、最初は驚いたわよ。だけど、うちに人手が足りないのは事実だし、それに……」

公香は、照れ臭そうに鼻の頭をかいた。

「それに、何ですか？」

「ちょっとしか話してないけど、志乃ちゃんのこと、結構気に入ってるのよ。かわいい妹みたいな感じ」

「あたしを？」

志乃は、まじまじと公香を見返した。

そんな風に言われるとは思ってもみなかった。気恥ずかしさより、驚きの方が勝っていた。

「そう」

「でも、あたしにできるでしょうか」

公香の言葉を嬉しいと思う反面、話しているうちに、胸の中で不安が大きく膨らんでいたのも事実だ。

「真田流に言うなら、できるとかできないとか悩む前に、行動するのよ」

誇らしげに胸を張るようにして公香が言った。

――悩む前に行動する。

公香の言う通り、きっと真田もそう言うに違いない。

そう思うと、何だかやれそうな気がしてきた。

「ご指導よろしくお願いします」

志乃は、改まって公香に頭を下げた。

それを受けた公香は、蠅《はえ》でも追い払うように大きく手を振る。

「そういう堅苦しいの止《や》めてよ。私たちは、もう仲間なんだから。そうでしょ」

「はい」

志乃は、大きく頷《うなず》いた。

「それで、さっきの提案なんだけど……」

公香が話を本題に戻す。

「正直言うと、一人で寂しかったんです。ぜひ使って下さい」

「良かった。ありがと」

公香は、ぱっと表情を明るくした。

その表情を見ていると、何だか志乃まで嬉しくなってきて、自然に笑顔になっていた。

――今からどんな生活が始まるのだろう？

いつの間にか、志乃の中では不安より期待の方が大きくなっていた。

参考文献

『知りたいことがすぐにわかる　バイクのメカ知識222』米山則一《よねやまのりかず》（山海堂）
『図解雑学　パラドクス』富永裕久《ひろひさ》（ナツメ社）
『庭に植えたい樹木図鑑』村越匡芳《まさよし》・監修（池田書店）
『スケートボード A to Z』（トランスワールドジャパン）
『ニッポン犯罪狂時代』北芝健（扶桑社《ふそうしゃ》）
『図解雑学　タイムマシン』福江純・監修（ナツメ社）
『バリアフリーの家　新築&改築実例集』（永岡書店）
『実話・コカイン密売最前線』北井信一（第三書館）
『ミステリーファンのための警察学入門』（アスペクト）
『2006年度版　全国覚せい剤汚染地図』（竹書房）
『別冊宝島295号　裸の警察』（宝島社）
『夢予知の秘密』エルセ・セクリスト（たま出版）
『最新・北朝鮮データブック』重村智計《しげむらとしみつ》（講談社）

『歴史群像シリーズ　図説　世界の銃パーフェクトバイブル２』（学習研究社）
『歴史群像シリーズ　図説　世界の銃パーフェクトバイブル３』（学習研究社）
『洋泉社ＭＯＯＫ　現代史を変えた実録！スパイ大作戦』（洋泉社）
『別冊ベストカー　警察マニア！』（三推社／講談社）
『みんなにやさしい介護服』岩波君代（文化出版局）
『別冊宝島１３５５号　世界のスパイ〜驚くべき真実〜』（宝島社）

この作品は二〇〇八年三月新潮社より刊行された。
文庫化に際し「By the way」を新たに収録した。

伊坂幸太郎著

オーデュボンの祈り

卓越したイメージ喚起力、洒脱な会話、気の利いた警句、抑えようのない才気がほとばしる！　伝説のデビュー作、待望の文庫化！

伊坂幸太郎著

ラッシュライフ

未来を決めるのは、神の恩寵か、偶然の連鎖か。リンクして並走する4つの人生にバラバラ死体が乱入。巧緻な騙し絵のごとき物語。

伊坂幸太郎著

重力ピエロ

ルールは越えられるか、世界は変えられるか。未知の感動をたたえて、発表時より読書界を圧倒した記念碑的名作、待望の文庫化！

伊坂幸太郎著

フィッシュストーリー

売れないロックバンドの叫びが、時空を超えて奇蹟を呼ぶ。緻密な仕掛け、爽快なエンディング。伊坂マジック冴え渡る中篇4連打。

道尾秀介著

向日葵の咲かない夏

終業式の日に自殺したはずのS君の声が聞こえる。「僕は殺されたんだ」。夏の冒険の結末は。最注目の新鋭作家が描く、新たな神話。

道尾秀介著

片眼の猿
―One-eyed monkeys―

盗聴専門の私立探偵。俺の職業だ。今回の仕事は産業スパイを突き止めること、だったはずだが……。道尾マジックから目が離せない！

荻原浩著
コールドゲーム

あいつが帰ってきた。復讐のために――。4年前の中2時代、イジメの標的だったトロ吉。クラスメートが一人また一人と襲われていく。

荻原浩著
噂

女子高生の口コミを利用した、香水の販売戦略のはずだった。だが、流された噂が現実となり、足首のない少女の遺体が発見された――。

荻原浩著
メリーゴーランド

再建ですか、この俺が？ あの超赤字テーマパークを、どうやって?! 平凡な地方公務員の孤軍奮闘を描く「宮仕え小説」の傑作誕生。

荻原浩著
押入れのちよ

とり憑かれたいお化け、№1。失業中サラリーマンと不憫な幽霊の同居を描いた表題作他、必死に生きる可笑しさが胸に迫る傑作短編集。

荻原浩著
四度目の氷河期

ぼくの体には、特別な血が流れている――誰にも言えない出生の謎と一緒に、多感な17年間を生き抜いた少年の物語。感動青春大作！

大沢在昌著
らんぼう

検挙率トップも被疑者受傷率120％。こんな刑事にはゼッタイ捕まりたくない！ キレやすく凶暴な史上最悪コンビが暴走する10篇。

佐々木譲著

制服捜査

十三年前、夏祭の夜に起きてしまった少女失踪事件。新任の駐在警官は封印された禁忌に迫ってゆく――。絶賛を浴びた警察小説集。

佐々木譲著

警官の血（上・下）

初代・清二の断ち切られた志。二代・民雄を蝕み続けた任務。そして、三代・和也が拓く新たな道。ミステリ史に輝く、大河警察小説。

今野敏著

リオ
―警視庁強行犯係・樋口顕―

捜査本部は間違っている！　火曜日の連続殺人を捜査する樋口警部補。彼の直感がそう告げた。刑事たちの真実を描く本格警察小説。

今野敏著

朱夏
―警視庁強行犯係・樋口顕―

妻が失踪した。樋口警部補は、所轄の氏家とともに非公式の捜査を始める。鍛えられた男たちの眼に映った誘拐容疑者、だが彼は――。

今野敏著

隠蔽捜査
吉川英治文学新人賞受賞

東大卒、警視長、竜崎伸也。ただのキャリアではない。彼は信じる正義のため、警察組織という迷宮に挑む。ミステリ史に輝く長篇。

今野敏著

ビート
―警視庁強行犯係・樋口顕―

島崎刑事の苦悩に樋口は気づいた。島崎は実の息子を殺人犯だと疑っているのだ。捜査官と家庭人の間で揺れる男たち。本格警察小説。

今野敏著

武打星

武打星＝アクションスター。ブルース・リーに憧れ、新たな武打星を目指して香港に渡った青年を描く、痛快エンタテインメント！

今野敏著

果断
―隠蔽捜査2―
山本周五郎賞・日本推理作家協会賞受賞

本庁から大森署署長へと左遷されたキャリア、竜崎伸也。着任早々、彼は拳銃犯立てこもり事件に直面する。これが本物の警察小説だ！

誉田哲也著

アクセス
ホラーサスペンス大賞特別賞受賞

誰かを勧誘すればネットが無料で使えるという「2mb.net」。この奇妙なプロバイダに登録した高校生たちを、奇怪な事件が次々襲う。

本多孝好著

真夜中の五分前
five minutes to tomorrow
(side-A・side-B)

双子の姉かすみが現れた日から、五分遅れの僕の世界は動き出した。クールで切なく怖ろしい、side-A から始まる新感覚の恋愛小説。

新潮社
ストーリーセラー
編集部編

Story Seller

日本のエンターテインメント界を代表する7人が、中編小説で競演！　これぞ小説のドリームチーム。新規開拓の入門書としても最適。

新潮社
ストーリーセラー
編集部編

Story Seller 2

日本を代表する7人が豪華競演。読み応え満点の作品が集結しました。物語との特別な出会いがあなたを待っています。好評第2弾。

高村薫著　黄金を抱いて翔べ

大阪の街に生きる男達が企んだ、大胆不敵な金塊強奪計画。銀行本店の鉄壁の防御システムは突破可能か？　絶賛を浴びたデビュー作。

高村薫著　神の火（上・下）

苛烈極まる諜報戦が沸点に達した時、破天荒な原発襲撃計画が動きだした――スパイ小説と危機小説の見事な融合！　衝撃の新版。

高村薫著　リヴィエラを撃て（上・下）
日本推理作家協会賞／日本冒険小説協会大賞受賞

元ＩＲＡの青年はなぜ東京で殺されたのか？白髪の東洋人スパイ《リヴィエラ》とは何者か？　日本が生んだ国際諜報小説の最高傑作。

高村薫著　レディ・ジョーカー（上・中・下）
毎日出版文化賞受賞

巨大ビール会社を標的とした空前絶後の犯罪計画。合田雄一郎警部補の眼前に広がる、深い霧。伝説の長篇、改訂を経て文庫化！

柴田よしき著　残響

私だけに聞こえる過去の〝声〟。ヤクザの元夫から逃れ、ジャズ・シンガーとして生きる杏子に、声は殺人事件のつらい真相を告げた。

柴田よしき著　ワーキングガール・ウォーズ

三十七歳、未婚、入社15年目。だけど、それがどうした？　会社は、悪意と嫉妬が渦巻く女性の戦場だ！　係長・墨田翔子の闘い。

重松清著
ナイフ
坪田譲治文学賞受賞

ある日突然、クラスメイト全員が敵になる。私たちは、そんな世界に生を受けた——。五つの家族は、いじめとのたたかいを開始する。

重松清著
エイジ
山本周五郎賞受賞

14歳、中学生——ぼくは「少年A」とどこまで「同じ」で「違う」んだろう。揺れる思いを抱き成長する少年エイジのリアルな日常。

重松清著
きよしこ

伝わるよ、きっと——。少年はしゃべることが苦手で、悔しかった。大切なことを言えなかったすべての人に捧げる珠玉の少年小説。

重松清著
小さき者へ

お父さんにも14歳だった頃はある——心を閉ざした息子に語りかける表題作他、傷つきながら家族のためにもがく父親を描く全六篇。

重松清著
卒業

大切な人を失う悲しみ、生きることの過酷さ。それでも僕らは立ち止まらない。それぞれの「卒業」を経験する、四つの家族の物語。

重松清著
きみの友だち

僕らはいつも探してる、「友だち」のほんとうの意味——。優等生にひねた奴、弱虫や八方美人。それぞれの物語が織りなす連作長編。

西原理恵子著　パーマネント野ばら

恋をすればええやんか。どんな恋でもないよりましやん。俗っぽくてだめだめな恋に宿る、可愛くて神聖なきらきらを描いた感動作！

仁木英之著　僕僕先生
日本ファンタジーノベル大賞受賞

美少女仙人に弟子入り修行!?　弱気なぐうたら青年が、素晴らしき混沌を旅する冒険奇譚。大ヒット僕僕シリーズ第一弾！

宮木あや子著　花宵道中
R－18文学賞受賞

あちきら、男に夢を見させるためだけに、生きておりんす――江戸末期の新吉原、叶わぬ恋に散る遊女たちを描いた、官能純愛絵巻。

三浦しをん著　風が強く吹いている

目指せ、箱根駅伝。風を感じながら、たすき繋いで、走り抜け！「速く」ではなく「強く」――純度100パーセントの疾走青春小説。

近藤史恵著　サクリファイス
大藪春彦賞受賞

自転車ロードレースチームに所属する、白石誓。欧州遠征中、彼の目の前で悲劇は起きた！　青春小説×サスペンス、奇跡の二重奏。

恩田陸著　夜のピクニック
吉川英治文学新人賞・本屋大賞受賞

小さな賭けを胸に秘め、貴子は高校生活最後のイベント歩行祭にのぞむ。誰にも言えない秘密を清算するために。永遠普遍の青春小説。

新潮文庫最新刊

中村　弦著
天使の歩廊
―ある建築家をめぐる物語―
日本ファンタジーノベル大賞受賞
その建築家がつくる建物は、人を幻惑する――日本初！　超絶建築ファンタジー出現。選考委員絶賛。「画期的な挑戦に拍手！」

久保寺健彦著
ブラック・ジャック・キッド
日本ファンタジーノベル大賞優秀賞受賞
俺の夢はあの国民的裏ヒーロー、ブラック・ジャック――独特のユーモアと素直な文体で、いつかの童心が蘇る、青春小説の傑作！

堀川アサコ著
たましくる
―イタコ千歳のあやかし事件帖―
昭和6年の青森を舞台に、美しいイタコ千歳と、霊の声が聞えてしまう幸代のコンビが事件に挑む、傑作オカルティック・ミステリ。

新潮社ファンタジーセラー編集部編
Fantasy Seller
河童、雷神、四畳半王国、不可思議なバス……。実力派8人が描く、濃密かつ完璧なファンタジー世界。傑作アンソロジー。

池波正太郎著
青春忘れもの
芝居や美食を楽しんだ早熟な十代から、海兵団での戦争体験、やがて作家への道を歩み始めるまで。自らがつづる貴重な青春回想録。

寮　美千子編
空が青いから白をえらんだのです
―奈良少年刑務所詩集―
彼らは一度も耕されたことのない荒地だった。葛藤と悔恨、希望と祈り――魔法のように受刑者の心を変えた奇跡のような詩集！

タイム・ラッシュ
—天命探偵　真田省吾—

新潮文庫　か-58-1

平成二十二年八月一日発行
平成二十三年六月十日五刷

著者　神《かみ》永《なが》学《まなぶ》

発行者　佐藤隆信

発行所　株式会社新潮社

郵便番号　一六二―八七一一
東京都新宿区矢来町七一
電話 編集部(〇三)三二六六―五四四〇
電話 読者係(〇三)三二六六―五一一一
http://www.shinchosha.co.jp

価格はカバーに表示してあります。

乱丁・落丁本は、ご面倒ですが小社読者係宛ご送付ください。送料小社負担にてお取替えいたします。

印刷・株式会社光邦　製本・株式会社植木製本所

ISBN978-4-10-133671-8 C0193